新 潮 文 庫

どんぐり姉妹

よしもとばなな著

新 潮 社 版

9752

どんぐり姉妹

写真：鈴木親　装幀：中島英樹

「私たちはどんぐり姉妹です。

このサイトの中にしか存在しない姉妹です。

なんていうことのないやりとりをして、気持ちが落ち着くことってありませんか？

私たちにいつでもメールをください。

おたがいにフォームの枠内の字数までというルールの中でですが、なんでも書いてください。

時間はかかっても、お返事をします。

どんぐり姉妹」


これがどんぐり姉妹のサイトのトップに書いてある言葉だ。

サイトの壁紙は姉がデザイナーの友人に頼んで、かわいいどんぐりの小さなイラストを添えセンスよく作ってもらった。

「だれかにメールしたいけれど、知っている人にはしたくないというときにちょうどいい存在」というゆるい理念を掲げて、ふたりきりではじめた仕事だった。

三十代向けの女性誌でライターの仕事をしている文才のある姉がメールを書く。

私は直感を使ってメールにアイディアを出すことと、事務作業を担当している。

抜けなくお返事したかどうかをチェックしたり、姉の返事に目を通し保存、なにかひっかかるものがあれば姉と話し合い、なければ私が送信する。

これまでに来たメールのリストを作ったり、この人は前回どういうことを言っていたか、などなど、いろいろな角度から記録することもしている。

姉が船の舵《かじ》をとり運転し、私は舳先《へさき》で海を見つめ、方向を定め、食材の備蓄や装備を点検する、そういう感じ。

どんぐり姉妹の活動は、あまり大きな波もなく静かに広がっていった。

なかにはとんでもない人もいたし、いたずらのメールもたくさん来たけれど、おおむね順調に進んでいった。

淋《さび》しくない人は私たちにメールを出さない。なによりも人々の隠している淋しさの静かな力のせいで、私たちのことはおおげさには広がっていかないのだと思う。

だれかがなにか言いたくてしかたないときやとても淋しいとき、前にどんぐり姉妹とやりとりをした人が、その名前をそっと教える。

ネット上で話題になることはあっても、私たちの仕事はあまり変わらなかった。私たちは基本的にひまなので、たまにメールがどっと増えることはこわくなかった。そういうときもしばらくすると波がひくようにまた静かになっていった。そしてあとに残る小さくきれいな貝殻のように、そっと残る人たちがいた。長いおつき合いになってきた人たちも次第に増えていった。明らかにいたずらだとわかるものでないかぎりは、トラブルを恐れず全《すべ》てのメールに返事を書いた。

私たちがお遊びではないという姿勢をかたく保っているかぎり、それはたいていの人に伝わった。


姉は恋をしているといつも、なかなか家に帰ってこなくなる。

別に彼と過ごしていなくても、浮かれてエステに行ったりネイルをしたり服を買ったり女友達とごはんを食べながら恋の話をしたり、恋愛にまつわる活動をしはじめるので、とにかく家にいない。

それに対して、このところ妙に内省的な時期に入り家にこもりがちになっていた私は、姉が恋をしはじめたとたんに家の中の空気が全く動かなくなったので、はじめて自分がそうとう静かな状態にあることを知った。

何日も外に出ていないと、頭の中の世界のほうが実際の世界よりも少しずつ大きくなってくる。気づくと思い込みの度合いがそうとうまずいことになっていて驚いてしまう。

そうしたらちょっとだけ外に出て調整する、そのくり返し。

今は身を低く、力をためて。そう思っていないと、やられてしまう。だれに攻撃されるでもない、自分の中の自分がずれてくるのだ。自分の中の自分がずれてくると、実際に会う人たちにその違和感が伝わる。そして人々の対応もおかしくなってくる。

そこで自分が変だと思ったら、もっとおかしくなる。

自分は身を低くしているだけなのだ、今はそういう時間なのだ。

そういう態度をメロディを奏《かな》で続けるような軽い感じで保っていると、どんぐり姉妹の活動が広まっていったのといっしょで、しだいに周囲も柔らかくなってくる。

その一連の流れをよく見ていると、実際の世界は全て私の内面が反映されて作られているというのは、あながち嘘《うそ》ではないと思う。

しょっちゅう外に出たり、電車に乗ったり、人ごみの中で人に会ったりしていると情報の多さでうやむやになって麻痺《まひ》してきて、そのことがわからなくなってくるだけなのだ。

とにかく私は、そんな時期にあった。

どんぐり姉妹の活動はそんな状態の私にうってつけの、ただひたすらに家でできる仕事であった。

あまり外に出ないで生活していると料理はけっこう大切な娯楽なので、一週間に二回くらい、少し遠くにある大きなスーパーが閉まる十五分くらい前に、まるでこたつから思い切って出る人みたいに、がっとサンダルを突っかけて、鍵《かぎ》と財布と携帯だけを持って出かけることにしていた。

幼い頃は、本気で夜が、闇《やみ》が、幽霊とかゾンビがこわかったものだ。

姉がホラー映画マニアで、つられてそればっかり見たので、家と言えば必ず未浄化の霊がいて夜中に悪さをするものだと思っていたし、死んだ人はなんだかんだ言っても必ず二十分後には起き上がってきて生きている人を襲うのだと今でもどこかで思っているところがある。

今になると、姉はホラー映画を観《み》ることで鬱屈《うっくつ》したものを発散していたのだろうということがよくわかる。でも私にとっては、姉の好みは不可解だなあと当時はふつうに思っていた。うら若い姉が真夜中に身を固くしながらホラー映画を観ている後ろ姿は、異様なものだったから。

しかし今はおかしな時代になっていて、人間のほうがよっぽどこわい。

特に夜遅くになると、一人で歩いていて人になにも声をかけられないで無事に幸せに帰ってくるほうが珍しい世の中になってきた。冷やかしのナンパや、車からの変な罵声《ばせい》や、ぶつぶつとしゃべりながら歩いている人に出会うことがしょっちゅうになった。

それから世界中の人からのさまざまなメールを読むことの弊害として、いろいろな人があってきた恐ろしい犯罪や事故のことも、普通の人以上に見聞きすることになるから、敏感になりやすい。

いろいろなことがあったからこそメールをするのであって、この世の中全部がそんなおそろしいわけではないとわかっていても、つい身構えてしまう。

だからいつも私は、「少しだけ命がけ」の気分でごはんの材料を買いに行く。

そんなにこわいなら昼間のうちにあちこち行けばいい、と鈍感な姉には言われるのだが、夜行性の私はどうしても起きるのが遅くなってしまい、それから普通にいろいろしているといつのまにかスーパーの閉まる時間ぎりぎりになる。

そんなことをしていたらあっという間に日々は過ぎて行き、いつの間にか冬になっていた。

どんぐり姉妹の仕事をはじめて、もう一年以上がたっていた。

この仕事をはじめてから、いや、きっとインターネットを使っている人全てが感じているだろうけれど、人の心のつながりの茫洋《ぼうよう》とした果てしなさに触れると、宇宙とか真実とかいう大きすぎるものが日常の中でいきなり顔を出してくる。

莫大《ばくだい》な情報の中にぽつんと浮いている自分のはかなさを思い、見たこともない人が自分たちに向ける限りない泥沼のような悪意も、とてつもなく大らかな命がけくらいに熱い善意も、その広大な意識の海の中では、情熱の分量に換算されたらあまり変わらないということもわかってくる。

なんでもないことをなんでもなく流して、ルーチンをこつこつこなしながら（そのルーチンの中には生きるために必要な、食べるとか寝るとかももちろん入っている）、ただどんどん流れて変化を受け止め自らも変化していくことがいちばんすごいということも。

ふだんやっていることは、このようなことを現実社会に転写しているだけ……でも、だとしたらどうして人はあたたかい言葉や優しい仕草が嬉《うれ》しいんだろう、それは私がまだ肉体の段階では獣の側面を持っているからなんだ、そう思う。

そのことを知ってからは、生きていられることの不思議をますますリアルに感じた。

すてきとかありがたいとかよりもむしろ、自分が寄生虫のようにウィルスのようにこの世界にへばりついてやっと、そしてしぶとく生きている感じがする。

生理が全ての獣と、宇宙空間を飛び回る意識の狭間《はざま》で、私たちは日常を織り上げている。

その狭間の空間に私たちどんぐり姉妹は蜘蛛《くも》の巣をはって、小さな場所を作っている。

ここにいるということ以外、確かなことはなにも言えない存在として。

だれもが問題は個人的なあれこれだと思い込んでいるけれど、実はそのあまりにも果てしない広さのなかで、全てがつながっていることこそが不安なのだ。だからこそ人はそばに触れるだれかがいても、そのさなかでふと私たちにメールを書く。

これほど広大な宇宙に小石を投げても、ちゃんとどこかに波紋は届くということを確かめるために。目に見えないなにかでも、つながっていることを知るために。

その夜の私は、サムゲタンを作ろうと決めていた。

夢の中で、サムゲタンを食べていたから。あの黒く美しいフォルムの器で乳白色のスープがぐつぐついっているイメージを目が覚めたときにはっきりと覚えていた。

あの特徴的な器は家にないし、丸ごとの鶏《とり》はなかなか売っていない上に仕込みも面倒なので、鶏肉のぶつぎりやいろいろな部位をたっぷりと買い、餅《もち》米とクコの実とにんにくとしょうがとなつめを買った。

スーパーの中に入ってしまうと、そこはこうこうと明るくて、エプロン姿の人たちがてきぱきと働いていて、みんな好意的で、この世になにも悪いことはないように思える。

遅い時間なのに子ども連れのお母さんもいた。

その和やかな会話を聞いているうちに、私の心はどんどん落ち着いていった。

「すごい奴《やつ》がいて、みんなやっつけちゃったんだよ。」

「まあ、そうなの、すごいね。ママの小さい頃はそれ、ベーゴマって言ったんだよ。」

「だからベイがつくのかなあ、ベイブレードには。」

「マイタケとしめじどっち入れよう、お鍋《なべ》。」

「俺マイタケ嫌い嫌い嫌い、しめじにして、しめじのほうがまし。」

「食べ物に対して、『まし』って言う言い方をするんじゃありません。」

子どもが小さい時期はほんの少しの間のはずなのに、どこの家でも同じような会話が交わされ、親子の会話はずうっと変わらない。

まるで男女がベッドの中で交わすような会話だなあ、と思いかけて、はっと気づいた。

みんな親が恋しい、だから恋愛にもあの懐《なつ》かしい気持ちを持ち込んでしまう。おじいさんやおばあさんになってもロマンスを求めてるのは、歳《とし》と共に親が恋しい気持ちが増してくるからなんだ。

だからほんとうに大人のクールな恋なんて、人類にはきっとずうっとできないんだ。

聞いていたら急に淋しくなり、父と母が恋しくなった。

私と両親がこの親子みたいなかわいい会話を交わしたことは、もうよく覚えてないし果てしなく遠く感じられるけど確かなんだ、そう思って、私は自分の淋しさをそうっとあたためる。

遠赤外線が与えるイメージのように、赤い明るい光が内側までじわっとしみてきて、そうだよ、この世は性の比喩《ひゆ》だけで成り立ってるんじゃないよ、親が子を思う気持ちでだってできてるんだよ、もちろんそれだって深くほりさげたら性の問題かもしれないけれど、まったくお姉ちゃんは、単純だよ。

と文句を言いながら、レジに向かった。大きなウィンドウに自分の姿が映る。

やばいな、髪の毛がちょっとぼさぼさしてきているし、お肌も変に青白くなってきた。

ここ半年くらい、このスーパーとＤＶＤレンタルの店と書店とスターバックスしか行ってない。

もう少ししたら、きちんとおしゃれして、出かけはじめよう。なんだか海も見たいし。

これ以上、そういうことをしないと、いざ出たくなったとき出られなくなっちゃいそうだしね。

そんなことを考えているときが、いちばん平和で、幸せで、涙が出ちゃう。でも、そんなことばっかり言っていてもしかたない、新しいページをひらこう、春が来たら。そのことを夢見ていよう。


私の名前はぐり子。姉の名前はどん子と言う。

とんでもない名前だと思うでしょう、私もそう思います。

ぐり子ももちろんすごいけれど、どん子に至ってはマイナス的ですらある。しかも私たちは別に双子じゃないのに、先に生まれた姉に妹ができるのを見越してどん子とつけてしまったのだ。

そのへんでもう、両親の無邪気さや夢見がちなところや、変人ぶりがわかると思う。

私はこれまでにいったい何人の人から、名乗った瞬間に「ぐりとぐら」からとったのですか？　と聞かれ、あの大きなカステラの話に至っただろう。本も何冊も集まってきて、今では自分であのカステラを作ることができるようになった。

そして私はちょっと申し訳ない気持ちで最後に言うことになる。

「私には姉がいて、どん子というのです。ふたり合わせてどんぐりなんです。私たちが生まれた病院の裏庭にいっぱいどんぐりが落ちていて、その名前になったんです。」

「それじゃあ、双子なの？」

それも何回も聞かれる質問なので「そう思って当然ですよ」と思いながら私は首をふる。

「二歳違うんですけど、なぜかセットで名前をつけられちゃったんです。」

何回も、何回も言っているうちに、最後に作る笑顔まで同じになってきた。

その分、名前をつけてくれたときの親の気持ちが薄れていきそうで、私は毎回産院の庭の風景にびゅんと心を飛ばす。

お父さんがその朝しゃがみこんでいた庭。甘く乾いた枯れ葉の匂《にお》い、澄んだ空気。枯れ葉にまぎれてつやつやの、ころころと音がしそうなどんぐりのかわいい形。手の平の中で静かにあたたまっていく。腰をのばして見上げると大きな椎《しい》の木の上には乾いた青空が広がっている。心の中は無条件の喜びでいっぱい。

その光景を思うと、当時の父の幸福が、私たちが生まれたことへの祝福としてきらきら降ってくる気がした。

超音波で見た胎児（姉）の形がどんぐりにそっくりだったことも父の心には残っていたし、母が産気づいて分娩室《ぶんべんしつ》に運ばれ、姉が生まれるのを待っている時間に、父は気を紛らわせるために、秋の透明な光の中でひたすらにどんぐりを拾ったそうだ。

私も二年後に同じ産院で生まれ、秋だったから、私のときも姉といっしょにそうして待っていたそうだ。

その二回のどんぐり拾いは、お父さんの人生の中でもいちばんと言っていいほどすばらしい時間だったと、父は言った。

赤ちゃんに会えるのを待って、どんぐりを拾っていたんだよ、そんな幸せなことってなかなかないぞ、と何回も父は言った。私たちは父が遺《のこ》したそのどんぐりを今でも大事に持っている。

私は後からその場所にひとりで行ってみた。

「私、ここで生まれたんです。庭を散歩させてもらってもいいでしょうか？」

と受付で言うと、受付の人はちょっとけげんな顔をしたけれど、調べてもらったら確かに私の記録はあり、当時いた助産師さんもひとり残っていて両親のことを覚えていたので、入れてもらえた。

病院の庭には、たしかに大きな椎の木があった。

「そうかここでお父さんはどんぐりを拾って私たちを待っていたのか」そう思って、私はかがんでみた。

秋の透明な光の中、枯れ葉に混じってどんぐりがいくつも落ちていた。

私は涙をこぼしながら、いくつかを拾った。

どんぐりはひんやりつるりとしていて、幸せな感触だった。

姉が生まれた当時、父は姉をずばり「どんぐり」という名前にしようと言い、母はなんてかわいい名前なんでしょう、と言ったあとに、

「絶対もうひとり子どもを産むから、どんぐりを分けてどんちゃんとぐりちゃんにしましょうよ。そうしたらふたりは一生双子みたいに仲良しだと思うし。」

と言ったそうだ。

母は自分の妹とあまり仲がよくなかったから、仲のいいきょうだいに憧《あこが》れていたのだ。

姉はよく、

「あんたが生まれてくれてよかった、もしいなかったら、今頃私はたったひとりでどん子のままだったもの。まあでも、名前のことでいじめられそうになっても、私、運動できたし人気があったんで『どん子のくせに運動神経いい』といつも言われたから、案外大丈夫だったかもね。」

と言う。まあ、その名前でいいならいいけど、と私は思う。私は自分の名前が好

きだ。そんな理由でついた名前を嫌いになれるはずがない。

そんなかわいらしい心を持っていた私の両親は、ふたりで朝のジョギング中に居眠り運転のトラックが突っ込んでくるという、全部で六人が亡《な》くなった大きな交通事故に巻き込まれて死んだ。私が十歳のときだった。

九州からはるばる東京都内においしいお刺身を届けるという仕事のトラックだったそうだ。

神様、おいしいものをすぐに食べたいなんて一生言わないし、お刺身が食べたければ旅に出ます、生ものの取り寄せも一生しないから、両親を生き返らせてほしい、といっぱい願ったけれど、無理だった。

かなり長いあいだ、私はお刺身を食べることができなくなってしまった。イメージが混じり合って、両親を食べているような感じがしてしまって。

今では、たまにお店でお刺身を食べることもあるし、おいしいと思うようになった。

「今日の朝遠いところの港で採れた新鮮な魚」だと書いてあるおしながきを見るたびに少し頭がぼうっとしてしまうけれど、そのおいしいの中に溶けていった私の両親の命を思う。そのとき亡くなった六人の人たちの家族とたまに連絡を取り合ったり会ったりすることがあるけれど、中にはお刺身を全く食べないという人もいる。姉が「罪を憎んで刺身を憎まず」と説得していたけれど、同じように親を亡くしたその人は苦笑いをするばかりだった。

この世には、意味なく存在するものはない。魚だって、親だって、トラックだって、居眠りだって。

でも深い意味があるっていうほどのことでもない。

それらはただあるだけだ。よくも悪くもない。

それなら、今日たまたま目の前のお皿にやってきた魚をしっかり食べてあげよう、両親の命だと思って食べよう……そう思えるようになったことを、よかったと思う。

両親を亡くしてから、姉と私はあちこちの親戚《しんせき》の家で育った。

静岡にある父方のおじさんの家にいた子ども時代は、かなり平和なものだった。両親が私たちに遺してくれたのんきさがそこでもしっかり育《はぐく》まれた。

子どものいない夫婦だったおじさんとおばさんは私たちをとてもかわいがってくれたし、茶畑の手伝いはたいへんだったけれどみんなで働いているからどことなくのどかだったし、近所の人たちともかなり親しくなった。

道を歩けばだれかが声をかけてくれて淋《さび》しくなかったし、自然はあまるほどあった。夕焼けは大きかったし、月も星もはっきりと輝いていたし、温泉はあちこちにあったし、冬は比較的温暖で、春には全《すべ》てが勢いよく芽吹いた。

村にはもちろん嫌われ者も噂《うわさ》好きのいやな人もいたけれど、だれもがてきとうに受け流しながらそれぞれを許容して、気候がきびしくないことも手伝って四季といっしょに人々の気持ちがゆるやかに回っていた。

大きな月を見ながらおじさんとおばさんと四人で庭で新茶を飲んだことや、みんなで温泉に出かけ、おばさんと背中を流しっこして、男湯から出てくるおじさんを夕涼みしながらのんびり待ったことなど、小さな幸せをいっぱいもらったことを一生忘れない。

やがておじさんが心筋梗塞《しんきんこうそく》の発作を起こして急に亡くなり、おばさんひとりになってしまった。

私と姉はしばらくのあいだ、遺品の整理と畑の手伝いをしながら、おばさんを支えて暮らしていた。とある家の手伝いをしつつタッグを組んで暮らすやり方の基礎はここでできたと思う。

おばさんは明るくふるまっていたが、その期間の思い出には全部淡く淋しい色がついている。

なにをしても、地味で優しくて素朴な人だったおじさんを思い出してみんなで泣いてばかりいた。

そのうちおばさんと私たちだけでは畑の管理もとどこおりがちになり、おばさんが同じ村のおじさんの友達のやもめの男性と茶畑を合併させたあと数年後に結婚したので、私たちは自分たちから出て行くと申し出た。

おばさんのだんなさんになったおじさんはもちろんいい人だったけれど、いくらなんでも私たちはおばさんと血がつながっていないのだから、潮時かなあと思った。おばさんはひきとめてくれたけれど、私たちがお荷物になるのは状況からして見え見えだった。

私たちはふたりでやっていく気持ちまんまんでいたけれど世の中はそんなに甘くなく、まだ未成年だったので父の友達だった弁護士さんと親戚の間で協議が行われ、私たちはお母さんと仲の悪かった母方のおばさんの家にとりあえずひきとられることになった。

そのとき私は中学生、姉は高校生だった。

その家での私たちは、ほんものの居候《いそうろう》という感じで肩身が狭かった。

居候ならではの息苦しさをその家で初めて覚えた。

労働で返せないというのが、なによりも苦痛だった。一方的に世話になるのは、見えない借金がどんどんたまっていくような気がしたし、結局は絶対なにかで返さなくてはいけなくなるに違いない、といういやな予感もしていた。

お金持ちの医者に嫁いだおばさんの家にはいつでも家政婦さんがいたから、家事を手伝う必要もなかったし、洗濯ひとつすることはなかった。

私たちにはふたりで一つだったがりっぱな部屋があり、遅れた学力を取り戻し私立の高校や大学を受験するために家庭教師もつけてくれたのだから喜ぶべきだったのだが、気分的には少しも暮らしやすくなく、アップグレードした感じもしなかった。

「引き取った子どもたちにバイトさせている」と思われると世間体が悪いから、とアルバイトも禁止されていたので、ただまじめに学校に行き、勉強するしかなかった。

その生活を始めてしばらくは、建物の間にすぐ山が見えないことが不思議に思えたものだった。

朝の空気がすがすがしくないことにも慣れなかった。都会で不安定になったハイジの気持ちが痛いほどよくわかった。なにかが足りなくて精神が酸欠になり、毎日のように畑や山の夢を見るのだ。

体を動かし労働することを覚えた私たちは、今更部活で体力を発散する気持ちにもなれなかった。

それからすぐ、姉とばらばらになった時期があった。

姉が家出してしまい、私がひとり残された時期だ。

そのときだけ、私は今のような「ときどきちょっと引きこもり気味になる」というのを超えて、精神的に危うくなった。不安定な年齢だったことも重なり、見えないはずのものが見えたり、聞こえないはずのものが聞こえるようになってしまったのだ。

そのような経緯で、地味で貧乏で静かだが変人の両親、そのあとに田舎のほのぼのしたおじさん夫婦に育てられた私には、思春期特有の狭い価値観も手伝って、派手好きのおばさんと生活の中で全く分かち合えるものがなかった。

もったいないことに良い暮らしの良さもあまりわからず、高い外食にもあまり魅力を感じなかった。おばさんの着ている生地のよい大げさなデザインの服もすてきとは思わず、とにかく話題がなかった。

その家もやはり子どものいない夫婦であったので、おじさんはほとんど家にいなかったし、おばさんも出かけがちだった。ふたりで出かけることも多かったので不仲ではなかったみたいだが、あたたかい雰囲気の家庭とは言えなかった。

まあそれは私たちにとってある意味いいことで、私たちはしばらくしたら気持ちを切り替え、家政婦さんと姉と私でお菓子やごはんを楽しく作ったり、おじさんのライブラリにいっぱいのＤＶＤでたくさんの映画を観《み》たり、姉はちゃっかり夜遊びに出かけたりしてかなり自由に過ごしていたのだが、当然のなりゆきとして、私たち姉妹を正式に養女にしてゆくゆくはどちらかを、あるいは両方を医者と結婚させたらいいという話がある日持ち上がった。

姉は勉強してなにかの医者（この言い方だけで、明らかに医大に行って時間稼ぎしたいのが目的でやる気がないということが出ちゃってる、と思ったものだ）になるから、見合いだけはかんべんしてくれと言ったが聞き入れられず、かなりもめて、ついに家出した。

「必ず助けにくるからな。医者の嫁にいかせはしない。ここの養女にもさせない。そのへんはお父さんの友達の弁護士さんに言ってあるから、安心して待ってな。」

ある夜中に私をたたき起こした姉は自分に酔いしれながらかっこよくそう言って、キャリーバッグに大事なものをつめこみ、出て行った。

雪の夜だった。

姉が夜道に消えていくのをベランダから見ていた。

髪もパジャマもみんな雪だらけになり、姉のキャリーバッグの車輪が道路を転がる音が遠くなっていった。

最後に振り返って、お姉ちゃん、振り返って！

そう念じたら、姉は振り返り、私に向かって手を振った。街灯のあかりに透ける雪にかすむ黒いシルエットが嬉《うれ》しくてにこにこ笑った。

でも部屋に入ったら、生まれてはじめて、全くのひとりぼっちになっていた。がらんとした部屋に急に自分の気配だけが戻った。姉の使っていた机も、ベッドもそこにまだあるのに、姉はもう帰ってこない。

そして、姉はここでは二度と暮らさない、そう直感した。

もちろんおじさんとおばさんは怒ったけれど、もう大人だからと警察には届けなかった。

連絡があったらすぐ知らせるから、大事《おおごと》にしないでと私も頼み込んだ。

おばさんはあきらめも早く、やっかいなものがいなくなったくらいであまり心配していなかったようだし、どうせ私は連絡を取り合っているんだろうと安心しきっていたので、ああ、親じゃないってこういうことなんだなと思った。私たちに弁護士がついているというのも、姉の家出があまり重く見られなかった大きい要因だろう。

姉がいなくなって私はますますその家にとてもいづらくなり、なるべく帰らないように外（と言っても私はまじめだから書店やマンガ喫茶や図書館やデパートにいただけだけど）をさまようか、部屋にじっとこもるかしていた。

ごはんもあまり食べなくなって、どんどん痩《や》せていって、腎臓《じんぞう》の機能がおかしくなったらしく、検査にもひっかかってしまった。

そしてさらにまずいことにポルターガイストといえるような現象がおばさんの家に起きるようになった。棚の戸が突然開いたり、ラジオの音が急に大きくなったりした。

変な寺にお祓《はら》いに連れて行かれたり、おばさんよりももっと派手な指輪のおばさんに鑑定を受けたりしたが、なにも変わらなかった。私は淋しかったのだ。淋しくてどんどん心を閉じて行った。カウンセリングにも行ったが、それはみんなおばさんの気持ちを満足させることにつきあっていただけだった。

私はなんだか弱っていってしまい、しまいには学校にも行けず寝込んでばかりになってしまった。

姉がその期間何をしていたのか、私もくわしくは聞いていない。

水商売のバイトをしたり、友達の家に転がりこんだり、男の人と住んだり、でも私を迎えに行こうと思ってお金をためていたと言う。

こんな稼ぎではいつまでたってもらちがあかない、と悟った姉は、人嫌いで有名な父方のおじいちゃんの家に直談判に行った。

件《くだん》の弁護士さんにしっかり間に入ってもらい、おばさんとの金銭的、法的なトラ

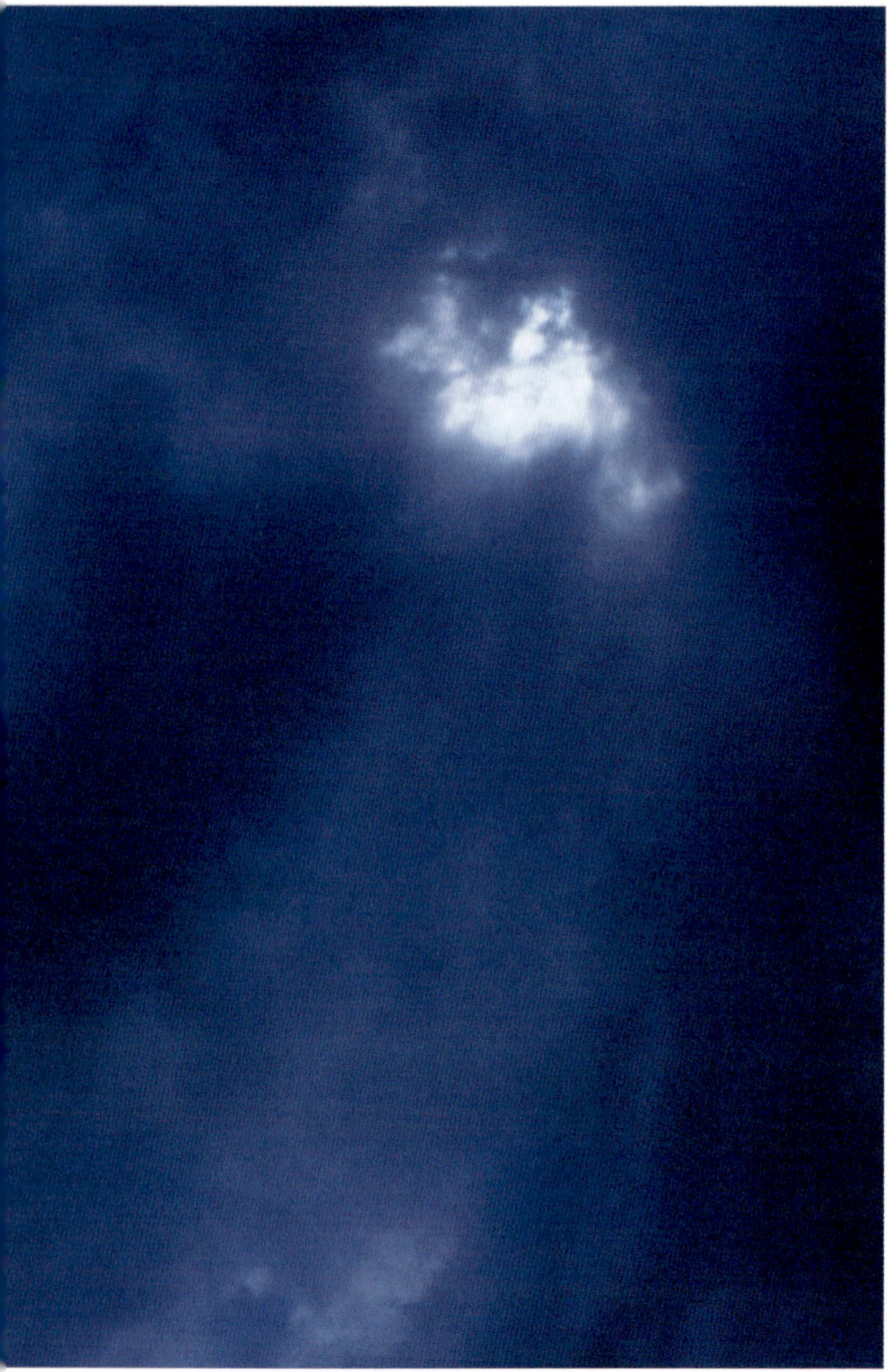

ブルもないようにした上で、父方のおじいちゃんが正式に養女として私たちをひきとってくれることになったのは、私が十六歳のときだった。

おじいちゃんは、確かに無口で人付き合いが苦手で、おばあちゃんが亡くなってからはほとんど親戚《しんせき》づきあいもしない変わり者だったが、本が好きで高潔なすばらしい人だった。

人と暮らすなんてもってのほか、ひとりがいちばんだと公言してひとりぐらしをしていたのだが、高齢で世話をする人が必要になったため、妥協したのだそうだった。

でもいっしょに暮らしてみるとおじいちゃんはすばらしい人だった。

己のことはなるべく己でやり、地道で、本の世界があればそこでいくらでも心を自由にできる人だった。彼の決まりきったしかし清潔な暮らしぶりは、東京に住んでいるのに森の中にいるようであった。

おじいちゃんの目が見えなくなってからむつかしい本の読み聞かせをしたことは、私たちにとっても勉強になった。特におじいちゃんの世話をしながらこつこつと蔵書を読んで力をためていった姉は、もともとの文才がその期間に花開いたのだと思う。

母は絵本作家だったし、父は編集者だったのだから、ありえないことではない。姉の才能がどんどんのびて行くのを見ているのは楽しかった。嫉妬《しっと》はなかった。むしろ姉の才能を支えていく手伝いができたらなと思った。

おじいちゃんの家に住む権利を勝ち取り、おばさんの家に私を迎えにきたときの姉は、ジャンヌ・ダルクみたいにりりしかった。

がりがりになっていた私はすぐへたってしまうので電車に乗れず、タクシーの中で毛布にくるまれて、姉の肩に頭をもたせかけていた。

「ゲロ吐くなよ。」

と姉は小さな声で言った。

そんな突き放したような言い方をしていても姉は泣いていた。まっすぐに前を見た細い瞳《ひとみ》から涙がぽろぽろこぼれていた。夜のネオンや車のライトが姉のほほを照らし、まるで博多人形みたいにつるつるに光って見えた。

ありがとう、と私は言った。

私は全然大丈夫だよ、おばさんの家に、あと五年だって十年だって、いられるよ。

姉は、黙って首を振った。

東京の夜はきれいだ、と引きこもっていた私は思った。空がぼんやりと発光してるみたいに明るくて、私たちは湖をすべっていくスワンみたいに、なめらかに移動していた。

ありがとう、あそこから出してくれて。お姉ちゃんのためなら、なんでもするよ、と心の中で私は思った。

合わないところで、少しずつ心の中のものをすり減らしていくと、人は病気になるんだ、と思って、人の強さそして弱さに驚いた。

別に私はこきつかわれたり、虐待《ぎゃくたい》されたり、おじおばとおそろしい軋轢《あつれき》があったわけではない。ただぼんやりと心を閉じていっただけだ。だから大丈夫と思っていた。なのにいつの間にかこんなに具合が悪くなっていたなんて、信じられない。そう思った。

人間ってそんなにわかりやすくできていて、ごはん以外のものも毎日食べているんだ。

雰囲気とか、考え方とかそういうものまで。


その後にやってきた、おじいちゃんの家での暮らしは、忘れがたく穏やかなものだった。

おじいちゃんは私たちが移り住む数年前に脳卒中で倒れて右足に麻痺《まひ》が残って介助が必要だった。近所づきあいも避けていたので、最低限ひとりでなんとかしていた。

買い物はみんなネットでしていたし、食事はたまにネットで注文する以外はほとんど乾きものでなんとかしていたようだ。すごい根性だと思う。

引き取ってもらった当時でも外に出るときは車いすが必要だったが、おじいちゃんはいずれにしても外に出なかったので、家の中では杖《つえ》をついたり這《は》ったり壁を使ったりしてなんとかしていたらしい。

お風呂《ふろ》はめったに入らず、それでも身ぎれいにはしていた。その身ぎれいにほころびが出始め、新鮮な野菜や果物やたんぱく質の不足で体調が悪くなり、これはまずいと思った頃に、姉からの申し出があったのだという。

おじいちゃんは、どうせ自分が死んだら姉と私に持ち物は行くことになると思っていたから、受け入れたのだとはじめはしぶしぶ言っていた。

家の中は当然荒れていたので、姉と私はひたすら掃除をして、おじいちゃんがいやがらない程度に改装して整えた。畑で鍛えられた私たちの肉体にとって、そのような労働は好ましいものだった。

リビングをおじいちゃんの部屋にしてトイレとのアクセスをよくしたり、壁をぶち抜いて書斎にもひとりで行けるようにした。姉も私もおじいちゃんにべたべたしないよう、大声でおしゃべりしたり笑ったりしないように気をつけていたので、おじいちゃんはその生活にわりとすぐに慣れた。

ごはんはワゴンに乗せて持っていき一人で食べてもらったし、トイレはほとんど最後までひとりで行けたので、私たちは呼ばれたときに行って、必要なものを整えるだけでよかった。

「好きな本があったら持っていっていい。」

とおじいちゃんはいつも言った。

自分の本を貸すというのは、彼にとってそうとうのことだったと思う。命を少しわけてあげるくらいの感じではなかっただろうか。

「家の中を人がうろうろしている生活になって、いやじゃないですか？」

あるとき、私は洗濯物をたんすに入れに行って、おじいちゃんに話しかけてみたことがある。いつもはとにかくおじいちゃんの前ではなにか言われないかぎり黙っているのだが、その日おじいちゃんは本をひざにおいて（そのときはロルカの詩集を読んでいた）、外を見ていたので、話しかけようかな、と思ったのだ。

「最近はいいものだなと思うようになったよ。」

とおじいちゃんは言った。

ここで私がなにかいいことを言ったら、ばしっと貝が口をとじるみたいに、ねむの木がばさっと葉を閉じるように、おじいちゃんは不機嫌になる、そう直感して私はただうなずいて部屋を出た。笑顔さえつけたさなかった。

そこにはだんだん気を許して近づいてくる野生動物と暮らすような感動があった。私と姉はそれからずっとおじいちゃんと暮らし、介護し、とても静かで、だれにも理解されがたく、しかし愛し愛された生活の中で彼を看取《みと》った。

そしていっしょに住んでいた５ＬＤＫの古いマンションの部屋と遺産を正式に受け取った。固定資産税がかかるのは痛かったが、当分はおじいちゃんの思い出と暮らすことを私たちは選んだ。

おじいちゃんの命が病気と共生しながら最後の一滴までなくなるまで、そうっと着地するみたいに亡《な》くなって看取ったとき、姉は三十歳、私は二十八歳になっていた。

お葬式を出して、遺産の受け取りの手続きを弁護士さんといっしょにみんなすませた。遺産目当てでよくがんばったとおばさんにちくちく言われたけれど、おじいちゃんと私たちはきちんと契約していた。

看取ってくれて、お葬式を出してくれる代わりに、家とお金はみんなあげる、でもそこに愛情がなかったら私にはすぐわかりますから、いやになったらすぐ撤回する、とおじいちゃんは周囲にきちんと伝えていた。

そのことが私たちに、お金に関するやりとりを堂々とできる大人としての自信をつけていた。

ふとんも干さなくていい、大量の洗濯物を手分けしなくてもいい、重い荷物を持って帰ってこなくてもいい、週に一回病院へ送って行かなくてもいい、床ずれを心配して体位をしょっちゅう変えなくてもいい、おかゆをつくらなくてもいい、家から長時間出てもいい……でもおじいちゃんがいない。

そう思うたびに、ただ戸惑った。おじいちゃんがいなくなって、ほんとうにいないんだということがやっとわかってきてもまだ私たちはぽかんとしていた。

朝、お仏壇《ぶつだん》にお花とお線香をおそなえしたら、もうやることがほとんどない。働きものの私たちには、耐えられない状況だった。

とりあえずふたりで旅行に行こう、十年以上ふたりで旅行に行っていないから、と私たちはある朝突然思い立ち、箱根の温泉に行った。

交代では出ていたし、この十年の間にもそれぞれ友達に会ったり飲みに行ったり恋愛をしたりしていたが、ふたりそろって出るなんて、深夜のファミリーレストランにちょっと息抜きをしに行くくらいだったのだ。

久しぶりに外に泊まるので、なかなか寝付けず、電気を消してからも私たちはうだうだと起きていた。

ふたりとも浴衣《ゆかた》を着て、古ぼけた畳の上のせんべいぶとんに寝ていた。

突然飛び込みで泊まったので、そんなすてきな旅館とは言えなかったし、古くさかった。でもお湯はすばらしいし、清潔なのがなによりよかった。

宿全体が貸し切りに近いくらい空《す》いていて、川音が遠くに聞こえる以外はとても静かだったから、声が天井に妙に響いた。

姉は言った。

「これから、どうしようか。」

それはふたりのあいだにずうっと、ふわふわと漂っている気持ちだった。

自由って言われても、まだ自由がわからないし、ただおじいちゃんに会いたい、ホームシックになったみたいに、ひたすらそう思っていた。

「私は、あそこでしばらく暮らしたいんだけれど。できることならお姉ちゃんもいっしょに。」

私は言った。

「しばらくは落ち着いて暮らしたいんだ。おじいちゃんの霊魂もまだうろうろしているかもしれないし。もしそうだとしたら、私たちがいないとおじいちゃんは淋《さび》しいでしょう。」

「そうだねえ、すぐに売り飛ばしたら、すごくいやだろうな、おじいちゃん。」

姉は言った。

「私も、そういうつもりはないな。当分、あそこにいたい。やっと落ち着いてきたんだから。私は、恋愛は大好きだけれど、結婚する気はない。もう、いやだ、お金とか遺産とかのこと。みんな、結婚から生じる。今のところ、私はそういうことに関係のない、ただ来てただ去っていく人生を目指しているの。」

「うん、きれいごとじゃなかったね。おばさんが再婚するときとか、こっちのおばさんちで婿《むこ》養子を取れと言われたときとか、おじいちゃんちに行ったときとか、大した額が動くわけでもないのに、私たちのこれまでの人生、親のいない子の常としてかもしれないけど、かなりお金の話が多かったしね。」

私は言った。

「しばらくはなにもしないでいいかもしれない。」

「じゃあ、しばらく、あの家でこのままふたりで暮らそうか。」

姉は言った。

「うん、いいよ。」

私は言った。

私たちには、現実の上でも抽象的な意味でも、急いでいくべきところはなかった。これまで人の手伝いをしないで、自分だけのための暮らしを暮らしたこともほとんどなかった。

今はただ、手や肩に意味なく入ってしまっている力を抜きたかった。

私たちには病のように、人の世話をするという感覚がしみついていた。私たちをなんとか生かしてきて、そしてしばりつけているのがその感覚だった。

介護中も、姉はしっかり恋愛をしていたけれど、姉によぼよぼのおじいさんと働いていない妹がくっついていると知ると、男性はたいていい極端な反応をした。

そっと離れて行くか、全部受け止めると意気込むか。

そしてその、第一段階のあたりで姉は恋愛を放りだしてしまうのだった。

つまり、多分だが、ほんとうの愛を姉はまだ知らない。また、それが出てくる時間をかける気も姉にはないようだった。

「ねえ、もしもお互いのどちらかが結婚したくなったら、あの部屋を、結婚するほうが出ることにしない？　あの部屋に他の人が住むの、おじいちゃんはいやだと思うんだ。」

姉は言った。

「そんなに義理堅く考えることないのかもしれないけれど。」

「そうだね、まあ、そうなったらそのときの状況に合わせて、いさぎよくあの部屋を売って、おじいちゃんのものとお金を分けて、それぞれ別のところに住むのもいいかもね。まあ、それはケースによっていろいろ考えればいいと思うし。相手の人の家がどこにあるかにもよるし、相手の経済状態にもよるし、別居結婚もありうるし、改装して二世帯にする可能性もなくはない。」

私は言った。

「そういうあんたが結婚するかもしれないもんね。」

姉は言った。

「私は結婚に関してはノーアイディアだよ。今は彼氏もいないし。」

私は言った。最後に男の人とつきあったのは、数年前にいつも行っていた近所の薬局で薬剤師をしている人とだったが、あまりにも私が介護にうちこみすぎていて、いつのまにかだめになってしまった。

「でも、これまでいろんな人を見てきた感じでは、女性が遺産や不動産を持っていることはもめごとを呼ぶだけだよね。そのことはあまり言わずに、生きていったほうがいいような気がする。部屋がほしいという男の人とはもちろん結婚しないほうがいいんだけれど、だいたいの場合、そんなことはっきりとは言ってくれないものだから、もっとグレーな感じでもめるよね。そして、今ここにあるものはこれからもあってもいいと思うのが人情だし。私ももし自分の好きな人がそんなこと言いだしたら、強く文句は言いにくい。でも、売らないとお金ができないし、分けられないし、やがて住んでいるものが勝っちゃうみたいな争いになるのはいやだよね。だから、やはりそういうときはできれば売って、分けよう。」

「うん、それは、思想が違ってなければ、私たちの間でケースバイケースでうまく解決できるように思う。どんなに恋愛に狂っていても、多分大丈夫だろう。あとさ……もうひとつ、相談があるんだけれど。今、私たち、節約すれば、しばらくは働かなくても、食べて行ける状態にあるよね。私がライターの仕事をしているから、無収入ではないし。」

姉は言った。

「そうだね、でもまあ、私もなにかはしようかなと思う。バイトとか。もう、家にずっといなくていいんだものね。まだのびのび外出することがうまくはできないんだけど。」

私は言った。

「私はできるよ。切り替えがはやいの。でも、あんたはあんたのペースでいくといいと思う。あのね……私に考えがあるんだけれど。」

姉は言った。

「人は、なにか人のために仕事するべきだと思うの。なんでもいいけど、なにかしら、そういうことをしていたほうが健全だと思うんだ。おじいちゃんを介護して、それが終わって……そのことで、いろんなものを、私たち受け取ったよね。まあ、言葉にすると違っちゃうけれど、お金とか、家とかだけではないもの。つまり愛を。それをなにかで負担なく神様にかえしていける仕事はなにかな、って考えて、ふたりの才能を生かしてできることを考えたんだけれど。」

「別のおじいさんを介護して看取るっていうのは、やめようね。」

私は言った。

というのも、あまりにも淋しくて、体もなまってきて、もうこの際なんでもいいからあの頃を思い出したい、おじいさんやおばあさんの手や足のしわや薄い皮が見たい、もうこのさいおしっこの匂《にお》いでもいいから、お年寄りの匂いがかぎたい、世話したいと思ってしまうことが一日何回もあったから、姉もそうかなと思ったのだ。

「それも考えた。」

姉は言った。

「でも、おじいちゃん以上にすばらしいおじいさんは見つからないし、だいたい、そんなことを思っているようでは、プロとは言えないもの。私たちはきっとおじいちゃんが恋しいだけで、お年寄り全般が恋しいわけじゃないんだよね。おじいちゃんを通して、お年寄り全般に愛が広がったのはいいことだけれど、後ろを振り返っちゃいけない。」

「その通りだよ、お姉ちゃん、なんていいことを言うの。」

私は感心した。私の中の振り返る気持ちが、姉の的確な表現で雪みたいにきれいに溶けていった。姉の言葉にはそういう魔法が宿るときがあった。

そして姉はどんぐり姉妹の構想を話しはじめた。

たいへんそうだけれど、お金をとらないかぎりはほんとうにいいなと思った。

お金をとらなければ、お返事が意にそうものでなくても責任が生じない。ただの文通になる。お金目当てでなければ、宣伝しなくてもいいから、たくさんすぎるメールに苦しむこともない。

「でも、一生収入がないっていうのはちょっと心配なんだけれど。」

私は言った。

「私はライターの仕事をちゃんと続けて行くし、その合間にそのメールボランティアの仕事をすればいいと思う。心の中の本業がそれであるかぎり、私はライターの仕事がきついときがあっても、収入が減ってきても、人として生きていけると思う。」

姉は言った。

「ただ、私には綿密なところがないから、メールを管理するのを、ぐりちゃんがしてほしい。」

「それならできる。」

私は言った。

「家事もやる。ごはんはいつでも作れるし、掃除はたまに手伝ってくれればいい。」

「やってみようよ。」

姉は言った。

足がほかほかで、髪の毛もお肌もつやつやで、ごはんもそこそこおいしかったから、私は幸せだった。敷きぶとんはせんべいだったけれど、掛けぶとんはふかふかしていた。もう、なんにもいらなかった。

「ふたりで、ひとつの名前にして、ユニットを作ろう。」

姉は言った。

「つまり藤子不二雄ね。」

私は言った。

「私がFよ。」

姉は言った。

「いやだ、私がFよ。喪黒福造とか魔太郎とか、私の心にはいない人たちだから、考えられないもん。あ、怪物くんのことは考えることができるな。怪物くん、かっこいいもん。」

そう言ったあと、私はてきとうに言った。

「お姉ちゃん、ゴルフできるじゃん、絶対Aだよ。」

姉から返事が返ってこなかったので、見てみたら、天井を見ながら、

「そうかも。」

と言った。

どうしてこのポイントで納得して「そうかも」と言えるのかなあ、と思った。

こんなに近いのに、姉のことはまだまだよくわからないのだった。

「ねえねえ、じゃあ、『チエちゃんと私』っていうさ、だめな親戚《しんせき》といっしょにキャリアウーマンが住んであげる小説のさ、奇人変人のチエちゃんの役は、絶対にあんただよね？」

姉は言った。

「ああ、それはそうかも。それ、わりといやじゃない。私。」

私はうなずいた。

横を見たら、満足げに姉は天井を見てうっとりと眠そうに微笑《ほほえ》んでいた。

変な人だなあと私はもう一回思った。

私たちのペンネームはそうして「どんぐり姉妹」になった。もちろん姉が「文章を書いていて姉妹だったら、これしかないよ」と「叶《かのう》姉妹」と「大森兄弟」を意識してそのユニット名にしたのだが、まだクレームは来ていないし、ダブルデートのお誘いもないから、他のユニット名を思いつかない私たちは静かにそのままでいるのだけれど、とにかくそうやって姉と私は一蓮托生《いちれんたくしょう》の仲間同士になったのだった。

離れていた時期があるせいか、私の姉に対する気持ちは、決して生臭く身近な気安いものではない。

性格があまりにも違うので、どちらかというといとこか、あまり他の人と分かち合えない、小さい頃の思い出を共有するためだけの仲間みたいな感じだった。

「どんぐり姉妹さま

家に病人がいて、家族で旅行に行けなくて、悲しいのです。

自由に動けないと、苦しくて、意地悪い気持ちになってきます。

ミミ」

「こんにちは。

おじいちゃんが生きていた頃、私たちは、いっしょに旅行することができませんでした。なので、片方が旅行に行くと、おいしいごはんやきれいな景色の写真を撮って送りました。それを『にくらしいなあ』『うらやましいなあ』と思うのは簡単だったかもしれないけれど、私たちは単純だったから、あるいは単純であろうとつとめていたから、わあおいしそう、わあきれい、と言っては、また、こつこつとおじいちゃんと過ごしました。介護だからきれいなことばっかりじゃないし、おじいちゃんも人だからたまには私たちにきつい言葉をぶつけたりしました。でも、おじいちゃんと過ごせてよかったです。

どんぐり姉妹」

これは、どんぐり姉妹に来るメールとお返事の一例だ。

だいたいこういうのんきな、力の抜けた感じで、メールのやりとりはずっと続く。一日で多いときは百通、少ないときは二十通くらい。同じ日に、同じ人からメールが何通も来ても、一日一通しか返さないのが基本だ。

こんなたわいない返事を返していると、だんだん、先方のお返事もたわいのないものになってくる。ずらすでもない、まっこうから受け止めるわけでもない、その人たちの生活にたわいのない会話が足りなすぎることだけをおぎなう役割。

みんなたわいない会話を交わしたくてしかたないのに、一人暮らしでできなかったり、家族の生活時間帯がばらばらだったり、意味あることだけを話そうとして疲れていたり。人々はたわいない会話がどんなに命を支えているかに無自覚すぎるのだ。

メールを読んで、思いついたことを私が姉に話す。

当時、おじいちゃんの顔や足をふいていると、旅先の姉からメールが来た。彼氏といっしょに雪だるま作りか、いいよなあ、全く。でも、心にふわっと雪の冷たい感触が舞い降りてくる。肺の中の空気がひんやりときれいになる。

それは姉が本気で「きれいな景色見せてやろう」と思っていて、それが私にちゃんと伝わっているからだった。

「うらやましがらせてやろう」だったら、こうはいかなかっただろう。

すると姉はふんふんなるほど、と言って、先のようなメールを書く。

姉はいつでも奇妙に優しく少し薄暗い、できるかぎり短いメールを書くのだ。

よい意図をもって、たわいない話をしつづける。どんぐり姉妹になったとき、ふたりの話は混じり合ってどんぐり姉妹という生き物になる。それは多分私でも姉でもないのだ。

だから、

「どんちゃんとぐりちゃん、もしかしたらあなたたちが話題のどんぐり姉妹なんじゃない？」

と知り合いに聞かれたときは、違いますよ、もしそうだとしたら、そんなベタな名前はつけません、と答える。

相手はものすごくあやしんでいても、うなずいてくれる。知らないふりをしてくれる。


圧力鍋《なべ》を使ってサムゲタンもどきを調理しながら事務作業をしていたら、夜中の三時になっていた。

姉はまだ帰ってこなかったが、私は満ち足りていた。

深夜の部屋の中は鶏《とり》のスープと朝鮮人参《にんじん》の匂いでいっぱいだった。

窓が曇って、向こう側のライトがぼんやりとにじむ虹色《にじいろ》の輪になっていた。

私はこの上ない幸せを感じていた。

こんなに幸せでいいのかな？　と思うことが、ここで暮らしはじめてから何回もある。さらにおじいちゃんを無事送り出した今となっては、人の家に住まわせてもらっているのではないだけで、なんて気持ちが楽なんだろう。やりとげた感じが満ちている。

生きていて、頭の上に屋根があって、部屋には暖房があって、一人暮らしではなくって、おいしいものを作っている匂いが部屋に満ちていた。それが嬉《うれ》しい、なんという単純なことだろう。特別なことなんてなにも望んでいない。こんな気持ちを知ることができただけでいい。

そんなことを思いながらサムゲタンを食べていたら、玄関の鍵《かぎ》がガチャガチャ音を立てて、酔っぱらった姉が帰ってきた。

ブーツを脱ぐのもよろけてしんどそうなくらいの酔いっぷりだった。

「うえっ、サムゲタンかよ。」

姉が言った。

「なんで、うえっ、なの?」

私は言った。

「だって、今まさにサムゲタン食べてきたんだもん、彼と。彼はお母さんが韓国の人なの。」

姉は言った。

「北?　南?」

私は言った。

「北朝鮮ってひとことも言ってないよ、韓国です。お母さんは韓国の人なんですって。だからソウルに彼のお母さんの実家があるんだって。」

姉は言った。

少し声が高くて、言い方が柔らかい。さかってるさかってる、と私は思った。猫ちゃんみたいにわかりやすい姉の人生だった。

でも姉はまるでベッドの中で男の人といるみたいにほんのりとほほが赤く、血行がよさそうで、疲れていなさそうで、お肌が発酵しているみたいにもちもちとしていた。これだったら恋愛はやめられないんだろうなあ、と私は思った。だって自分の体や顔や歩き方までもがいっぺんに変わってしまうんだもの、面白いんだろうなあ。

姉は決して男好きのするタイプではない。目が私よりも細くてかなり筋肉質で、色も黒く、いかにも運動ができそうなすらっとした感じ。姉妹なのに似ていなくて、私は色白ぷっくりで、どんくさい感じ。顔立ちもしいていえば、どっちかというとかわいい系なのだ。

私はめったに恋をしなくて、姉はしょっちゅう恋をしている。

今まで姉の彼氏に会ったことは数回しかないが、みんな顔はぶさいくで四角く、男っぽくて体格がよいけどちょっと繊細、という感じの人だった。

「もう、あまりにも好きすぎて、ひとことも話せないくらいだった。」

姉は言った。

「お姉ちゃん、いつでもそう言うじゃない。今はまだいいけど、三十五過ぎたら、もうその生き方はやめようよね。だんだんもてなくなってくるし、つらくなるかもよ。みんなそういうメール書いてくるのをいやというほど読んでるじゃない。」

私は言った。

「いや、続ける。」

姉は言った。

「ペースダウンするとは思うけれど、地道に続けていく。子どもなんか産まないし。そしたら五十五までは続けられると信じている。」

これって、執筆の話じゃないんだよな、ましてアスリートでもないし、と私は思った。

「まあ、好きなことは続けた方が。」

私はそっけなく言ったが、

「結婚には興味ない、恋愛のはじめの頃だけが好きなの。だって、こんなときって、なにもしなくても幸せなんだもの。息してるだけで楽しい。」

姉は目を輝かせて言った。

「あのね、私はこの思い出を全部持ってお墓に入るのが楽しみなの。老後は、これまでの彼氏をひとりひとり思い出して、ぽわんとして過ごしたいの。やるわよ！」

そしてお風呂《ふろ》に入りにいってしまった。お風呂の中で、じっくりと今日の思い出をかみしめるのだろう。異様にお風呂が長くなるのも恋をしている姉のひとつの特徴だ。

一方、私はそういうわけで、恋をしなくても今のところ幸せいっぱいだった。黙っていても幸せをかみしめていられるくらいに。

これまでにちょっとくらいショックを受けた経験があっても、私の魂の芯《しん》が圧迫されたわけではない。

そしてちょっとくらい考え方がおかしくなっていても、こだわってなければ、やがて傷はふさがり、幸せはどこからでもにゅるにゅる出てくる。

それは多分生命力とイコールなのだと思う。

だから、子どものときいろいろたいへんだったことで、自分が曲がったなんていうことはない。たとえ多少曲がっていても、じわじわとのばしていけばのびていくだろう。

それには矯正器具を使うわけにはいかない。ポジティブな考え方もトラウマワークも占いも適度な運動も、あとでちょっとしたブラッシュアップとしては必要かもしれないけれど、今はいらなかった。

なによりも自分の魂の芯を磨いて、あたためて、優しく包んで、もう一回芯としての地位を与えてあげることだと思った。私しか私のことはわからないから。意地になっているわけじゃなくて、これが最善だと私の魂が訴えているからだった。

のびていく時期は、ゆっくりとしている。まるで水中花がだんだん開いていくみたいに、水で膨らむ恐竜スポンジがガオーとふくらんで何倍にもなっていくように、おっとりと時間を感じることがいちばんの強さだ。

姉のように、狼《おおかみ》みたいに牙《きば》をむいて世話になった家を飛び出してひとり野原に生きることもできただろう。あのままおばさんの家に居着いて畑仕事にかけることもできただろう。もちろん医者と結婚することもできたのだろう。介護のプロももしかしたらできたかもしれない。そのほうがどんぐり姉妹よりはるかに世の中の役にたったかもしれない。

でも、私は「愛という感じがする、自由の匂《にお》いもする」と自分が感じるなにかを選んだ。しっかりはしているけどちょっと偏《かたよ》っていて心配なところがある姉を自分なりに助け、質素に暮らし、両親が私にはじめにいっぱいくれたきらきらしたものを、一生かけて発酵させていくことに決めた。

いよいよこれからいろいろなことがあるだろう、という武者震いのような感じだけがあった。

どんぐり姉妹を当分は続けていくこと以外はなにも決めていなかった。

その決めていない感じがまた最高で、これから来る波を自分がどうやって超えていくのか、ただどきどきするばかりだった。

なのになにかが私を外に出させない……どうしてだろうな、と私はなんとなく不思議に思っていた。

姉の極端に浮かれた様子を見て、恋愛について考えながら眠りについたからだろうか、妙に生々しい、現実みたいな感覚を伴う、変な夢を見た。

夢の中で、私は、はじめて私の良さを見つけてくれた男の子の姿を見ていた。中学校のような、もっと大きな部屋のような、とにかく大勢の人がいる部屋の中で、彼はうろうろしていた。

私は彼をじっと見ているんだけれど、話しかけることはどうしてかできない。でも涙が出てくる。その横顔を、かすれた声の感じを、特徴のある滑らかな動き方を、私はこの世の中でいちばん大事な宝物だと思っていた。自分よりも大切かもしれないというくらいに想《おも》っていた。

彼は制服を着ていたから、やはりそこは中学だったのだろう。窓の外を見ると、いちょうの並木が続く門の前の道が、白く光って見えた。

そして私はいつでもなんとなく彼を見ていたのと同じように、夢の中でも彼の動きをただ見ていた。見ているだけでよかった。神様ありがとう、と何回も思った。あんなすばらしい人を見せてくれて、そう思っていた。

ただそれだけの夢なのに、私は気が狂いそうに切なかった。まるで時間がほんとうに戻ったみたいに、息が苦しく、胸がしめつけられていた。

実際の人生でも、それは人生がいちばん空《むな》しく思えた時期にいつも見ていた光景だった。学校に行けば、ふつうに暮らせた。多少内気でも変わり者でも、友達もいたし、まるで将来のありそうな人たちに混じっていろいろなことを忘れることができた。

でも、家に帰ったら、ずっと自分の部屋にこもっていた。

このままおばさんの家にやっかいになりながら、高校に行き、大学に行き、就職をして、お金をためて家を出る、というのが果てしなく遠い道のりに思えた。あるいはお見合いして医者と結婚か。その頃私はちょうど姉を失ってストレスで腎臓《じんぞう》を壊していた時期で、疲れやすくあまり眠れず、おかしな夢ばかり見ていたし、町中にいる幽霊も見えているような気がしていたので、いつでもへとへとだった。

腎臓の検査に定期的に行って、ばかみたいに水を飲むのもつらかった。

もうほんとうに、ばかみたいに。バケツみたいなもので、ぬるい水を飲む。それで尿を出す。

そのたびに自分がマンガの中の人物になったみたいな気がした。

いや、そうだったらどんなにいいだろう、と思った。痛い点滴もいやな尿検査もしなくていい。いちばんそういうことを言いたくない時期なのに看護師さんに「今日は生理です」なんて言うのもいやだった。「このまま腎臓が悪くなって透析になったら、こういうことになります」なんていやな話ばっかり医者はする。

私だけ塩分を減らされておかずの味もなくなって、みそしるはただのみそ湯だった。それで思春期でお腹《なか》が減っているから学校給食の塩分が嬉《うれ》しくてがつがつ食べている自分が醜く、みじめに思えた。

いやだなあ、なんか、いやだなあ、顔色も悪いし、私ったら。冴《さ》えないなあ。

鏡を見るたびにそう思っていた。ふっくらしたほっぺたも、ピンクの肌も失われて、青白い成長期のアンバランスな顔の自分が映っていた。

そんなときに、麦《むぎ》くんというその男の子が、となりの席になって、楽しい話をしていつも私を笑わせてくれたのだった。

麦くんが私を好きなんじゃないかな、というのは、はじめからなんとなくわかっていた。席替えで席が決まったとたんに、真っ赤になっていたからだ。真っ赤になりすぎて「保健室に行って熱を測ってきなさい」と先生に言われていたくらい。

私は、その前からずっと麦くんを好きだった。

彼のちょっと猫背なところや、要領の悪いところや、動き方が自然でなめらかなところが。大勢の男子が団子になって歩いてきても、私はすぐに麦くんを見つけた。

細くてひ弱に見えるけれど、そうではないことにも気がついていた。運動神経が良さそうな人だなと思った。他の人よりも動作が少し多く重心が低く、ゆっくりに見えるのだった。むだのない、猫のような動きだった。彼のお父さんはハワイで伝統航海術を学んだり、カヤックのレースに出たりしていた。湘南の海辺に彼のお父さんがやっているお店があり、お父さんはその近くで子供たちに海のスポーツを教えていた。麦くんも、サーフィンやカヤックをやっていると聞いた。私とはなにもかもが全く違う、いい感じだな、だから他の男子と少し違って見えるんだ、なんだかかっこいいな、と私は思っていたのだった。

それはまだアウトドアとかエコロジー的なものがはやっていない時代だったので、クラスの人たちの興味があるサッカーとか大リーグとかＴＶドラマとかゲームなどの話題になにひとつついていけない麦くんは、ちょっと変わった人というふうに思われていた。

「ぐりも海に行ったらいいんだよ。」

唐突に麦くんがそう言ったとき、私は耳を疑った。

「私が？　海に？　病院に通ってるのに？」

私は言った。

腎臓が悪いと宣告されたくらいで、なんであんなに悲観的になっていたのだろう、私は。海に行ったくらいじゃなにも悪いことはなかったのに。海の水をがんがん飲みでもしないかぎりは。

「うん、海。海に行ったら健康になるよ。俺もさ、もっと小さい頃、アトピーだったけどすっかり治ったもん。」

麦くんは言った。はじめは焼けるとあとがもっとかゆくなるし、おぼれかけたりしてこわかったし、海は最悪だと思っていたけれど、どんどん海が好きになって、今ではひとりでも行くくらいになった、友達もいっぱいできたし、皮膚も丈夫になってどんなに日焼けしてもただ黒くなるだけになったよ。海とか日光は体にいいんじゃないかなあ。

熱心に語る麦くんに、もしも私がこう言ったら、どうなったんだろう、と今でも思うことがある。

「じゃあ、麦くん、連れていってよ。」

でも言えなかった。

麦くんが話しているのを中断したくなかった。その波のような声のリズムを聞いていたかった。現実を忘れることのほうが大事だった。家に帰って、麦くんが自分を好きかもしれないことを反芻《はんすう》して、そのことで心をいっぱいにして、そこに逃げ込んで眠りにつきたかった。

「こんど」

麦くんは言った。

私は聞き返した。

「え？」

麦くんは真っ赤になって、

「いや、またいつか。」

と言った。愛の告白よりももっともっと聞いていたい言葉だった。「こんど」ってただそれだけなのに。

あの空間の広がりを、そのあと男の人と何度かちゃんと恋愛をしてしまった私はもう二度と味わうことができない、そんな気がする。

明日も学校に行けば、麦くんを見ることができる。ただそれだけで生きていけると思った。お父さんとお母さんにちゃんと世話されている、週末は海に行っていっぱい運動している麦くんを見ると、自分が親と別れたことを忘れていられた。そんなに健康的に暮らしていて、はつらつとした女性がいっぱい周りにいても、こんな弱った私のよさを見つけてくれた、それだけで自分に自信が戻ってくる気がした。

あのときの麦くんは、私にとって、男性でも女性でもない、なにか天使的なものとして存在していたんだ、そんなふうに思う。

もしかして、いつか自分が子どもを産んだら、全く同じ気持ちをまた見ることがあるかもしれない、そうも思うのだ。

それが、私が姉と違って結婚にそんなに否定的ではないひとつの理由だ。

どんなにおいしいものも食べ過ぎちゃうと慣れてきて元の新鮮さには戻れなくなるのと同じに、私はまだ人生でほとんど恋愛をしていないから、姉みたいに仕組みが見えていないのかもしれない。そういう状態でないと、詳しすぎてしまうと、思い切ってできないことのひとつだと思う、結婚というのは。

ただ、ときどき思ってひやっとすることのひとつは、

「もしかして、お姉ちゃんのほうが、私がいないとだめなんじゃないだろうか」

ということだった。

勘違いと思いたいし、これからいろんなことがあってもどんぐり姉妹を続けていけば、たとえ離れても大丈夫だという逃げ道があるのもわかっているけれど、一見姉がどんくさい私の面倒を見ているようで、実は違うのではないか。

実は自分は結婚して普通に生きていけるのではないか。

いや、もしかしたらほんとうにその逆なのか？　やっぱり私は姉と離れたら生き

られないのでは？　最悪の場合は、お互いがそうなのか？

あまり考えると不幸になりそうなので、考えないようにして時期を待っていることのひとつだった。

そういうことは、寝かせておくのがいちばんである。ある日浮上して来たら、もぐらたたきのようにすかさず叩《たた》くか、なでなでするか、その日の自分が考えるだろう。その瞬間を逃さない、そこだけが勝負なのだ。


「ぐりちゃん、寝ながら泣いてるよ！」

夢を見て泣いている人をそんなふうに起こすなんて最低だと思う。

姉が私をゆさぶっていて、私は泣きながらぼうっとして目をあけた。姉の顔がすぐそばにあった。あんなに飲んで寝たのに、お肌がつるつるだ、恋愛中の人はほんとうにいいなあ……とぼんやり思いながら、言った。

「すごく生々しい、初恋の人の夢を見てた。もう彼のことすっかり忘れてたし、こんなはっきりした夢はじめて見たかも。悲しい夢じゃないのに、泣けてくる。」

私は言った。

「欲求不満か、更年期障害じゃない？」

姉は言った。真顔で。

「あんたじゃあるまいし。それに更年期にはまだ早いよ。」

私はむっとして言って、目をこすりながら起き上がった。

「じゃあ、彼になにかあったのかな。あんた変な勘があるから。連絡とってみたら？」

姉は言った。

「とりようがないよ。」

私は言った。

「だって、その松平くんって、お父さんが有名なサーファーかなにかだったんでしょ？ それで検索したら一発だよ。」

「そうか。」

「そうだよ、ぐりちゃんはほんとうにぼんやりさんなんだから。」

姉は笑った。私も笑った。

ほんとうは、検索のことなんかとっくに思いついていた。

そりゃあそうだろう、家の真ん中に神棚みたいに、立派なハードディスクのとなりには外付けのハードディスクまでついていて、さらにはタイムカプセルまでばっちりとそなえられたマッキントッシュがどかんと置いてあるのだから。

私だって、うろおぼえの画家の名前とか行きたいお店や土地の情報をしょっちゅう検索している。

半分引きこもりをなめちゃいけない、お料理や事務作業だけではなく、ネットとも蜜月《みつげつ》なのだ。

でも、彼のお父さんや彼の名前を検索しようとは思わなかった。

姉はそういうことにかけて、とても現実的だが、私は、自分の涙を内側で大事にしたかったのだ。

調べたらみんな蒸発しちゃう、この豊かな水が。この水をゆっくりと一滴ずつためて、きれいな湖をつくるまでにかかる時間のほうが好き。

たとえば、夕方遅くに町を歩いている。

駅前の有名なお菓子屋さんには今日も家路をたどる人たちが、ちょっとした甘いものを買って帰ろうと少しうきうきして並んでいる。市場では魚が最後のセールでたたき売られ、みんながどこかへ帰っていく雰囲気がもやみたいに漂っている。見上げるとどのビルも四角くて白くて明かりがついている。どの家やマンションの部屋にも、人の気配がある。どこかの町のどこかの窓で、きっとあの人も、それから昔仲がよかったあの人も、同じような少しけだるい時間を夜に向かって急いでいる。みんな幸せにしているといいな、そう思うだけで、なにかが心の中にぽつりとたまる感じがする。透明でデリケートなもの。それは事実を調べたら簡単にへたってしまうような小さな輝きだけれど、そうっとためておくためには目を曇らせず、背筋をのばしていなくてはならない。

私は考えていることを表に出す機能があまり発達してないから、かろうじてその一部を姉にしゃべってみている。それを編集してリライトしてくれないと、私のたくさんの考えは私が死んだときに、私といっしょにこの世から消えてしまう。でも、それこそが最高の贅沢《ぜいたく》だと思うことがある。

本も書かないで、ＴＶにも出ないで、だれにも自分の信じることとやしてきたことをあんまりしゃべらないで死んでいく偉大な人たちのことを時々考える。その内側はまるでもうきれいなみずうみみたいに澄んでいて、その中に吸い込まれていくようなさりげなく美しい死。生きているあいだこつこつと体を動かした分、静かに天に抱きとられる。しわしわで傷だらけの手も、疲れ果ててしなびた肉体も、きれいに消える。まるで美しく枯れた植物のように、なにもどろどろを遺《のこ》さない。

あるとき、外側の世界と内側の世界が逆転してすうっと消えていくみたいな、そんなふうに消えていきたいとしたら、それを実現するにはきっと、このきれいな水を内側にためておかなくてはいけないんだと思う。少しずつでも、だいじに。

「大丈夫だよ、今は普通の変なおじさんになってるって、彼だって。そういうの見ると安心かもよ、かえって。そうそう、さっき、残ったサムゲタンいただいちゃった。昨日食べたお店のよりもおいしかったかも。」

姉は微笑《ほほえ》んだ。

「ソウルではもっとおいしいサムゲタンあるから、連れて行きたいって彼が言ってくれたんだ、行ってこようかな、あんたも行く？」

「ソウルに行くの？　でも、私、おじゃまじゃない？」

私は言った。

「う〜ん、まだ彼と同じ部屋に泊まりたい感じじゃないの。だから全然いいよ。」

姉は真顔で言った。

「それから、彼もあまりそういう意味では、エッチ中心の人ではないから、いっしょに来たら喜ぶかも。なんか、こう、プラトニックな感じがいいんだよねえ。」

姉の恋愛のことがいまひとつわからないけれど、こういうときにうそをつくタイプではない。

「いやあ、遠慮しておくよ、ふたりで行っておいで。」

私は言った。行くなら、静かな時期が終わってから、がんばってひとりで行きたい、あるいは姉が何回も韓国に行って詳しくなった頃にふたりで行きたい。地下鉄に乗ったり、散歩したりしたい。きっと姉のことだからエステやマッサージのよいお店にも詳しくなってくるだろう、と思った。パスポートを更新しておかなくちゃ、そんな気持ちになる自分がちょっと嬉《うれ》しいな、と思っていたら、

「あんた、私が詳しくなってから、私だけと食とエステの旅に行こうと思ってたでしょ、今。」

と姉が言った。

「なんでわかったの？」

私は言った。

「顔に全部出てた。」

姉は言った。

「じゃあ、話は早いよ。たしかにその通りだから、おいしいサムゲタンのお店、行って確かめてきて。そして連れて行って。お察しのとおり、私も暖かくなったら、もう少しくらいアクティブになろうと思うんだ。」

私は言った。

「わかった、しっかりと見てきます。」

姉は言った。

「多分、今月中に行くと思う。」

そしてヘアバンドをぐっとおでこに巻いて、パソコンの前の椅子《いす》に座り、仕事にかかりはじめた。

姉が仕事をしているときの背中は、父を思い出させた。肩がちょっとあがるところなんか、そっくりだった。私たちの中に溶けている両親の姿を、甘く思い出す。

四人で住んでいたふた間のアパートの部屋も思い出す。両親は雑木林が好きだった。いつも意味もなく私たちを連れて、近所の大きな公園までピクニックに出かけた。

今思えば、外食するお金がなかったのだろう。

貧乏なのにふたりも子どもを作っちゃって、しょうがない人たちだ。

でもふたりはいつも楽天的で質素で、童話か民話の中の人物たちのようではあった。

だからだろう、私は今でもどちらかというと素朴な人が好きだ。

かなり寒い時期までよく外でごはんを食べた。おにぎりも卵焼きも外で食べるとおいしいね、と父はよく言っていた。寒くても暑くても、外だとなぜかぴったりのおいしさになる、と。

魔法瓶は今みたいに高性能ではなかったから、長い間ちゃんと飲み物をあたためてくれず、少しぬるくなったお茶を私たちはしみじみ飲んだ。冷たい空気の中で飲むあたたかいお茶は不思議な味がした。林の中だと木の匂《にお》いが混じる。乾いた土の匂いも。するとお茶は何倍にもふくらんだ味になる。

母の背中に背中をもたれさせて、私は枝と枝の間の空をよく見上げていた。

鳥がまるで空に押したスタンプみたいに、てんてんと飛んでいた。

あんな遠くにも風が吹いているんだな、と私は思った。

姉はいつでもひとりでひたすら木登りをしていて、父は姉が落ちないように、木の下で立っていた。

いつも同じに過ぎるそんな時間はまるで音がないようにだらだらと過ぎ、暗くなったり寒くなってくると母がスカートの土をパンパンたたきながら立ち上がって「そろそろ帰ろう」と終わりを告げた。お腹《なか》いっぱいで、少し冷えた体で家に帰っていく道は、この世のどんな道よりも平凡で退屈に思えた。今となっては貴重すぎて百万ドル以上の値打ちがあるという感じなのにね、と私はしみじみ思う。

どんな人も、ちょっとくらいでいいから、子どものときの自分に会いにいけるといいのにな、と私は思った。

そうしたらどんな気持ちになるだろう。うらやましいか切ないか。燃える恋をしてる人と同じで、いちばん熱いときに「いつか切なくなるから今を大事に」なんて言えば言うほど、ほんとうの熱さから遠ざかってしまうからこそ、私たちにはいつだって今しかないのね、と思う。今、私は幸せ、窓の外の空を見るだけで涙が出るくらいに、なんにもいらない。幸せを味わいたいからひきこもっているという、とてもおめでたい境遇。

そんな状態なのに、やっぱり一日でいいから、あの日に戻って、ピクニックの帰り道のうす闇《やみ》の中を家族で歩きたいと思う。

私は親を亡《な》くしたことから立ち直るのに、異常に時間がかかったのだと思う。

今回、おじいちゃんが死んだことから立ち直るのにこんなに時間がたっているのと同じように。姉みたいにやけくそに動き回って気晴らしするタイプの人もいるが、私はじっとしていないとだめなのだ。

医者の家のおじさんやおばさんにも悪かったな、と思う。

あのごたごたでほとんど没交渉になってしまった。

姉が家出してからはいつも姉を思ってじめじめしていた私、まるで軟禁された人みたいに絶望して腎臓《じんぞう》を悪くしたり、ポルターガイスト現象を起こして大騒ぎしていた私は、おじさんおばさんからしてもかなり重くてうっとうしかっただろう。

今の私なら、もう少し明るいものを発散したりできて、おばさんたちの対応も違ったかもしれない……彼らにしたら、慈善的な気持ちでふたりを引き取り、恩返しに婿《むこ》養子をもらってくれるだろうと本気で思っていた夢がつぶれてしまった上に、まるで親の敵《かたき》のように家を出て行かれてしまい、親戚《しんせき》の手前みっともない思いをして、かなり苦々しいだろう。悪かったと思う。

たまたま価値観が違っていただけで、大喜びでお見合いしてその人生をしめしめと受け入れる姉妹だってきっとこの世にはいるんだろうに。私たちがどんぐり姉妹じゃなくって、お金と娯楽大好き姉妹だったらよかっただけなのだ。

せめてもっと穏便に、私のことを思い出したときに甘い気持ちになるくらいの別れ方はできなかったものだろうか。

でもそんなことを思うときはいつでももうみんな終わってしまっている。

私の間抜けな人生の地図は、ずれて遅れている時計は、いつでもそんなふうだ。

「どんぐり姉妹さま

夫が事故で死んでしまってから、一年になります。

私たちは十八のときに出会い、ほとんどお互いにひとめぼれで、なんの障害もなく、すぐにつきあいはじめ、ほのぼのと長い間いっしょにいました。子どもはいません。毎日なにをしていいのか、今はわかりません。

なにを見ても、どこに行っても思い出がいっぱいで、泣いてばかりいます。なんていうことがないことを話す相手がいません。みんなかわいそうなものを見る目で私を見ます。それはそうだろうな、と私も思います。
お返事待っています。

やすみ」

「やすみさま
私たちも、事故で両親を亡くしました。
その哀《かな》しみが癒《い》えることは決してありません。
それはちょうど癒えない病を持ちながら生活しているのと同じだけれど、もうずっとこれを持って生きてくんだ、これが自分、両親を忘れることなく、いっしょに抱えていこう、そう思ってしまったら、少し楽になりました。

そして、毎日の中で幸せを感じることは、少しずつ増えています。

どんな一日を過ごしたか、またいつでもメールをくださいね。


どんぐり姉妹」


姉がやすみさんに書いたそんなメールを見たせいか、また夢を見た。

はっと気がつくと、どうやって入ったのか、麦くんの実家らしきそのマンションの一室に、私はひとりでいる。

なんで実家なのかはわからないが、夢の中の私はそう思っていた。

あとの家族は……それがいったいどういう構成なのか、少しもわからなかったけれど、病院にいるということがなんとなくわかっている。麦くんが今朝亡くなったらしいのだ。寝不足のはれぼったい感じ、足の裏がだるいような、その感じがなぜか私の体にあった。その家の中には悲痛な雰囲気が漂っていた。

その部屋のある階は五階か六階か、窓からはいろいろな建物を見下ろすことができた。麦くんの家の窓から、はるかにちらりと海が見える。建物と山の隙間《すきま》から、きらきらと光っている。ああ、やっぱり海の近くなんだと思う。なんていうことない普通の建物や住宅の向こうに波の輝きがあった。

私がいる和室にはお仏壇《ぶつだん》があった。

畳の匂い、午後の光がもたらす濃い空気が部屋の中にある。

私はお線香をあげて、手を合わせた。

横にあるタンスの上にはたくさんの写真があった。主に麦くんの小さい頃の家族写真だった。一人っ子だから、大事にされていたみたいだ。麦くんのご両親、おばあちゃんとおじいちゃん、海で遊ぶ麦くんのモノクロの写真もある。私が知っているときよりも幼いけれど、面影がある。笑うと少し隙間のある前歯が見えるところ。目と目がちょっと離れているのんきな顔立ち。

小学校と中学と高校あたりが抜けて、青年になった麦くんの結婚式の新しい家族写真が一枚だけあった。かわいい奥さんと並んで緊張した顔をしている、大人の麦くん。両方の親族がせいぞろいして、海辺のホテルの庭にいる。よかったなあ、と私は思う。胸は痛まない。

麦くんがどんな青年になったのかだけを、私は知らなかったんだな、としみじみ思った。探したけれどお孫さんの写真はないから、子どもはいなかったのかな。

私たちの時間はあの日のままで止まっているということを、また確認して少し淋《さび》しく感じた。ほんとうはもっと考えるべきことがあるのだろうけれど、夢だから私は揺れる感情のままに、現実に合わせずにただ漂っていた。

急にガチャガチャと重い鉄のドアが開く音がして、麦くんのお母さんがひとりで帰ってきた。陽に焼けた髪、ひきしまった肩。きっとお母さんも海に行く人なんだろうな、と私は思う。

お母さんが喪服を着ているので、麦くんはやっぱり死んだんだ、と私はぼんやり思う。今朝亡くなったのに、喪服を着ているわけがないけれど、夢の中だから妙にしっくりと納得してしまう。

たたみのへりが光って、うらさびしい感じがした。私は黙っていた。なんで自分がここにいるのかもわからなかった。私がいることをお母さんは驚いてはいなかった。

「なにか麦の記念の品を持っていきますか？」

お母さんは言った。

めがねをかけていて、とても賢そうな、ウェストにピーナツみたいなくびれがある、きれいな人だった。

「決してくんくん匂いをかいだりしないから、麦くんの昔の服をください。そして、もしよかったら、そこに飾ってある子どもの頃の写真を一枚だけください。私、一生麦くんを忘れずに、好きでいます。」

私は言う。なんでそんなことを言っているのか、自分でもわからないけれど、それらがほしくてほしくて、しかたない。自分のその欲の強さに驚かされるくらいだった。涙を流しながら、懇願するみたいに私は言っていた。

「いいわよ、少し待ってね。」

うつろな目で、微笑《ほほえ》みもせず、淡々と背を向けて麦くんのお母さんは古いたんすの引き出しをあける。古い衣類の匂いがする。

そんなものを手に入れても、麦くんに会えるわけでもないのに、今はそれしかほしいものがなかったのも不思議だった。


そこで目が覚めた。

また泣いていて、自分でもびっくりした。

これはまずい、麦くんはほんとうに死んでいるのではないだろうか、そう思って、私はついに検索をかけた。麦くんのお父さんがハワイと日本を行ったり来たりしていること、子どものための海の教室がうまくいっていることなど、いくつか簡単な記事が見つかったが、ブログはなく、麦くんの名前や現在についての記述も見つけられなかった。死という言葉をつかってもっと検索したくはなかったし、こんな形では知りたくなかった。

でもそんなことを言っていると、夢はまたやってきそうだった。そんな気配が私を取り巻いていた。なんで今、姉は久しぶりに恋に燃えているのだろう、そしてなんでそれにつられてあの夢が始まったんだろう。さらにやすみさんという人とのやりとりが、もっと強く私になにかを訴えかけてきている気がしていた。なぜ今、たくさん来るメールの中のこのメールが妙に気になるんだろう、やっぱりなにかある、そう思えていた。

私は一人だけいる、今もつながりがある当時の同級生にメールを書いた。まじめで親切で、素朴な女の子だった。何回か病院につきあってくれたこともある。私が点滴しているあいだ、横の椅子で待っていてくれた。私が寝てしまったら、いっしょにうたた寝していた、そのかわいい寝顔を忘れられない。

「同級生だった松平麦くんのあまりよくない夢を見て、気になっているんだけれど、消息を知ってる？」とただ素直に書いて送信した。

数日後、ご主人を亡くされたやすみさんから、またメールが来た。

その内容は、私の気持ちに妙にしっくりと寄り添ってきた。

「どんぐり姉妹さま

またメールします。

私の両親は健在で、今は、彼と暮らしたマンションにいるのがつらくて、実家にいます。

そのマンションの前の道をまっすぐ抜けて行くと彼の大好きだった海があります。いつもいっしょにめぐったお店や、流産したときにふたりでもたれあい泣きながら帰ってきた路地や、そういう全《すべ》てが家の近くのどこを歩いてもいっぺんに映像として襲ってくるので、しばらく離れることにしたのです。たまにふたりの部屋に、泣きに帰ります。だれもいないふたりの家で泣きに泣くと、少しだけ元気になり、やっていこうと思います。

両親はいつまでもいればいいと言ってくれています。

でもあのマンションを整理する気持ちになれなくて、まだなにも決めてはいません。

さっきお父さんが庭でゴルフクラブを振っているのを見て、ふと、幸せだとあれから初めて思いました。あなたたちや、その他にもたくさんいる、両親を亡くした人のことを考えたのです。そうしたら、不幸のどん底にいたはずの自分の胸の中に、きらっとなにかが光りました。不幸な人と比べて自分がまし、という光ではなくて、ああ、お父さんがゴルフクラブを振ってる、私が中学生のときと同じだ。この庭のちっぽけな芝生の上で。お母さんが地道に植えたお花の中で、お父さんが生きてここにいる、そう思ったら、ちょっとだけ、自分が恥ずかしくなったのです。

甘えきって、両親なんていてあたりまえだ、夫を返せ、と神様に文句ばっかり言っていた私。でもこの世にはきっと、最愛の人を亡くしてさらには身よりもない人だっているし、どんな恵まれた状態にいても、私よりももっと心が荒れていてその上友達もいない人もいるかもしれない、とあたりまえのことを思いました。これも、人と比べるという意味の話ではないです。

神様ごめんなさい、私はまだまだ悲しくて不幸な気分ですが、お父さんとお母さんはここにいます。今夜もいっしょにごはんを食べます。お母さんを手伝って彼の好きだったボルシチを作ります、と言ったら、空は真っ青で、吸い込まれそうな気がしました。

ありがとう。

　　　　　　　　　　　　　　　　　　　　やすみ」


　もう当分やすみさんからメールが来ることはないかもしれないな、と私は思いながら、リストにデータを入れた。

　なぜかやすみさんのイメージが麦くんの奥さんに強くかぶった。

　同じ人ではないと思う、でも同じイメージが私のまわりを取り巻いていることだけは感じた。

　奇《く》しくも、いや、当然のように同じタイミングで中学校の同級生からもメールが来ていた。

　それを読んだとき、もう何回も読んだ感じさえした。

「ぐりちゃんへ

お久しぶり、メールをありがとうございました。

松平麦くんは、バイクの事故で半年前に亡《な》くなりました。お父様が海のお仕事をしているごつごうでご実家がこちらを引き払って引っ越されたようで、高校からは湘南に住んでいたようです。

結婚してからは奥さんと逗子《ずし》マリーナに住んでいたみたい。ご自宅の近所で事故にあったみたいです。お子さんはいなかったそうです。ほんとうに残念ですね。

お知らせしなくてごめんなさい、私も、最近聞いたことなのですが、なぜかぐりちゃんに言いそびれていました。ぐりちゃんは松平くんと仲がよかったから、知らないですめばそのほうがいいかな、と思ってしまったのです、ごめんね。

同窓会をしようしようと思って何年も過ぎてしまったけど、今年こそはできるといいなと思っています。そのときに追悼しよう。私が幹事やります、また連絡します。

みゆき」


やっぱりそうだったんだ、と私は思った。

涙は出なかった。

ただ、一生私は彼の初恋の人として、もうどこにも行けない形で封印されてしまったんだ、と思うと、自分のなにかがいっしょに死んだような気がした。

私も知らないでいいと思っていたけれど、空間がつながっているから、さまざまな暗示がやってきて、知ってしまったのよ、と思った。でもそんなことをこのみゆきちゃんに伝えてもしかたない。私は普通に「悲しいです、でも知ることができてよかった、ありがとう。同窓会楽しみにしています」とお返事を書いた。

ネット上と同じくらいに暗示でいっぱいのこの世界、答えを指し示す矢印はやっぱりひとつだった。答えのまわりをぐるぐる回って、私は無意識のうちにこの半年くらい静かに喪に服したり、姉の恋になにかを喚起されたり、やすみさんのメールが妙に気にかかったり、ついに麦くんの夢にたどりついたりしていたんだと思った。

この世界の混沌《こんとん》の中では、死んだ麦くんが私にキャッチされそうなタイミングで夢を通じてやってくることも、やすみさんが麦くんの奥さんのイメージをもたらしたことも、偶然ではない。そしてそういうことはみんな、だれもが泳ぐ無意識の海の、匿名《とくめい》でできた世界の中では個性を持っていないのかもしれない。意味が似ている情報だけが浮かんでいて、きっとどこをキャッチしてもわかるのだ。

人が死んで、まわりの人に波紋が広がる、その模様も同じ。

だれもが人々の心でできた大きな海のどこかに確かにぽつんと存在している、その度合いもきっと同じ。

それでも私たちは人それぞれの個別の色を持った悲しみをおぼえる。

目を閉じると、窓からの光がまぶたの色でオレンジに見えた。生きてるってこれだけのこと、でもなんてすごいことなんだろう。

もう地上にはいない麦くん。麦くんの肉体はもうないんだ。そう思った。それだけが確かなこと。

次にお互い人間に生まれ変わってきたら、いっしょに海に行けるといい。真剣にサーフィンをして、いっしょに日焼けをしよう。

海の近くの街に生まれて、ばかみたいに真っ黒になって陽にさらされて笑って暮らそう。

そんな可能性があったかもしれないことを思っただけで、くらっとした。当時は思いつきさえしなかった、そんなこと。当時の自分がただ自分であるというだけのことで、あまりにも限定されていたということ。そしてそんな自分であったからこそ、彼と過ごせたことの不思議を思った。

ありとあらゆる可能性を広げても排除してもいっしょだ、その中に自分は溶けて混じっている。境界線はないし、守るべきものもない。ただいるだけ。

自分がどうして少ししょげて内省的になっていたのか、その深いところでの理由が、この世から麦くんが失われたからだったことがわかったので、悲しいなりにすっきりとした私はリハビリを開始することにした。

なにかせずにはいられない気分だったのだ。

手始めに姉たちの韓国旅行を見送りがてら、帰りに国内便のターミナルでお菓子を買ってカレーでも食べようと思って、羽田までいっしょに行くことにした。

姉の今回の彼氏に初めて会った。

四角い人だった。話し方まで四角四面で、くりくりした目が犬みたいな、あまりしゃべらない、まじめそうな人だった。休日らしくアウトドアブランドのパーカーを着て、バックパックを背負っていた。今にも山に登りそうな人だった。

彼が車で迎えに来て、三人でレインボーブリッジを渡り、小さなドライブをした。

彼は決して非社交的なわけではなく、しゃべるときはきちんと声を出し、面白いことも言い、姉に対する態度も自然で、ふたりは異様なテンションではなく、普通に楽しそうだった。私に対する普通の気遣いも彼にはあり、和やかないい時間を笑いながら過ごした。

国際線のターミナルにいきなり行っても狭くてあまりやることがないから、とりあえず車を停めてバスで戻り、国内線のスターバックスでお茶を飲んだ。姉がトイレに行っている間に彼は淡々と言った。

「これからもよろしくお願いします。」

「こちらこそ。」

私は言った。

旅立つ人のざわめきでいっぱいの空港は、いろいろな音や匂《にお》いがした。

私は甘く熱い飲み物を手に、ぼんやりと行き交う人を見ていた。

「僕はまじめにどん子さんが好きなんです。日に日に好きになっていきます。」

彼は言った。

「ありがたいことです。あんな乱暴者の姉を。」

私は言った。

「いつか突然どこかに行ってしまう気がして。」

彼は言った。

「ああ、わかります。私もいつもそう思ってますから。」

そう言って笑って、はじめて気がついた。

そうか、私もそう思ってるんだ。

あの日以来ずっと。絶えることなく、私の一部はあの雪のベランダでお姉ちゃんの後ろ姿を見て心で泣いてるんだ。

記憶のよみがえりは生々しく、雪の匂いがしてきた気さえした。

「僕がまじめな気持ちだということを、ぐり子さんに言えて、安心しました。」

彼はそう言って私に笑いかけた。風が吹いてきた気がした。男の人が女の人に恋しているときのあの独特の空気の動き。彼の中で渦巻いている。このエネルギーを食べてお姉ちゃんは生きてる、そう思った。

となりにその熱があるのは確かにとても心地よかった。

わかります、私も一生お姉ちゃんに片想《かたおも》いなんだと思います、私がそうつぶやくと、彼は静かにうなずいた。

彼らがバスで国際線に去って行くのを見送って、お菓子を買い、カレーを食べた。

このままどこかに行ってしまおうかな、飛行機に乗って。沖縄、高知、熊本……

いろいろなことをぼんやりと考えた後で、私は気づいた。

そうだ、麦くんの冥福《めいふく》を祈りに、逗子に行こう。花を買って行こう。私には逗子マリーナという情報しかなかったけれど、それで充分だった。

私と麦くんは、お互いが好き合っていると知りながら手もつながなかったし、結局海にも行かなかったけれど、なぜか一回だけキスをした。

あれって、夢だったのかな？　と今でも思うけれど、確かに現実だった。

卒業式近い頃、道でばったり会って、少ししゃべって、キスして別れたのだ。すごい度胸だったと思う。それは駅のホームだった。彼はこれから友達に会って鎌倉のサーフショップへ行くと言っていて、私は家に帰る前にとなり町の駅前の大きな書店に行くところだった。

もう会えないと思っていたわけではないけれど、体が勝手に動いてしまったみたいに、キスした。電車が来て、じゃあね、と手を振って、でも「なにしちゃったんだろう、私、今」と思っていた私は真っ赤な顔で電車に乗り込んだ。ホームに立つ麦くんは、私にとって決定的なあの美しい立ち姿をして、最高に愛《いと》おしいものを見る目で私を見ていた。

それだけなのに、なんでこんなに苦しいんだろうな、と思った。きっと麦くんも苦しかっただろう。それは純粋に年齢的な問題だったんだと思う。生き物としてまだ生々しい年齢の私たちは全身で相手を求めていて、得られず、欲望ときれいな気持ちは奇妙なあたたかさで混じり合い、見る景色全部に溶けていった。

逗子の駅を降りると、日差しだけが夏のようで、一瞬寒さを忘れた。

麦くんはいったい、彼の人生の中で何回この駅に降り立ったんだろう。きっと数えきれないほどなはずだ。

いつもお母さんやお父さんが車で迎えに来て、駅前に待っていたのだろう。

彼が大人になってからは、彼が両親や妻を迎えに来たこともあっただろう。

この駅前に。

そう思っただけで涙が出てきた。町全体が麦くんみたいだ、そう思った。

そうなんだ、ネット上だけではない、みんな溶けて混じっているんだ。相談メールのやすみさんが麦くんの奥さんのイメージと混じり合い、この町には麦くんの姿が溶けている。そのイメージのたづなを握っているのは私のようで私ではない。もっと深いところにある圧倒的な力に違いない。

そんなことを思いながら、お花によりかかるようにして、海に向かって行った。喪服を着ていないのに、着ているような気持ちだった。

この町は川の町で、川の景色のほうが海よりも目立つように思う。

実は、逗子にはよく来ていた。おじいちゃんの介護中にできたボーイフレンドと車で来たこともあったし、姉と電車で来て駅前の有名なお店でたたみいわしとお刺身を買って、浜辺に行って小さな宴会をしたこともある。海を見ながらお刺身を食べて日本酒を飲んで私と姉は酔っぱらい、コーヒーをいれようと思って持ってきた小さなコンロでたたみいわしをあぶっていたら、ナンパしようとする人たちもひいていたっけ。

そんなふうに関係なくても、逗子に来るたびにいつも少しだけ麦くんを思い出していた。

あの頃、あり余っていた生命力の全《すべ》てをかけて、私と麦くんが発信していた膨大な思いはどこに行ってしまったのだろうなあ、と私は思った。海に、山に、空気の中に……そしていろんなものとつながり、また循環しているのだろうか。

海辺は寒く、犬の散歩をしている人しかいなかったが、光の中にいる人や犬はまるで別の世界にいるように神々《こうごう》しかった。

私は浜で海に向かって手を合わせ、しばらく海を見ていた。静かで、冷たい光に満ち、山を従えている。砂はじわっと冷たく、夏を待っている地球全体の息吹《いぶき》を感じた。

花がないと自分がうまく過ごせないような気がして、いつのまにか松葉杖《まつばづえ》のように花を持っていたから、花を捧《ささ》げに来たのに、海に置いていけなかった。

麦くんが事故を起こした場所はさっぱりわからないので、そのまま逗子マリーナまでタクシーを拾った。

くねくねした道を下りあっという間に港についたので、拍子抜けしたみたいな気持ちになり、現実から離れたような感じの椰子《やし》の木の道をてくてくと歩き、テニスコートの近くまで行った。ラケットがボールを打つ、気持ちのよい音ががらんとした逗子マリーナに響いていた。いろいろな形の建物が道をはさんで建っていた。別荘として使われている部屋が多いから、ひっそりとしている。

抱えている花の香りが空の異様なまでの青さにぴったりすぎて、くらくらとしていた。私の心の中での悼《いた》みはもう終わっていた。いつしかお花を置くことも忘れて、私はただあてどなく歩いた。ほんとうはあの日麦くんが行った鎌倉まで国道を歩きトンネルを越えて浜を抜けて行こうと思っていたのだが、ふと思い立ち、引き返した。小坪の港で魚を買って、小さな船を見たいと思った。

港が近くなると風景がごちゃごちゃしてくるのはどこの町でも同じだ、むしょうにそれが見たかった。

向こうから女性が歩いてくるのが見えた。駐車場に向かっていくのだろうと思った。逗子マリーナの職員さん以外ほとんどだれも歩いていない午後早い時間、冷たい風がぴゅうぴゅう吹いている道。

その、老年にさしかかろうとしている中年女性を私は確かに見たことがあった。でも、なにかが違う、彼女がもう少し若い頃の姿を、確かに最近見たんだけれど、有名人かな、と思って一生懸命考えた。

そしてわかったとき、ぞうっとした。

この人は夢の中で会った、実際には会ったことのない麦くんのお母さんだ、そうに違いない。

どうしてそんなことをする勇気が出たのか、自分でもわからない。

でも、私はとっさにその人に言った。

「あの、あの、麦くんのお母さんですか?」

しどろもどろで、顔は赤く、声はうわずっていて、少しもかっこよくない言い方だった。

その人は私をじっと見た。悲しそうに。そして、少しだけ嬉《うれ》しそうに。

少し前に息子が死んだことを、できることなら忘れていたい、だから言わないでほしい、でも息子がいたことが誇らしいという気持ちはずっと持っている。

そんな気持ちがメガネの奥の深いまなざしにみんな出ていた。間違いない、と私が思った瞬間、強い風の中で彼女はぼんやりとうなずいた。

「はい、そうです。あなたは？」

ここは夢の中ではなく、ネットの中でもない、強い風が吹く、椰子のある道の真ん中だ、確かにそうだ、でも私はまだ夢の中にいるように感じていた。

「あの、私は、吉崎《よしざき》といいます。昔麦くんの同級生でした。いっぱい、いっぱい、助けてもらって……亡《な》くなったことを最近知って……」

そう言って私は花を差し出した。浜辺に置いてこなくてよかった、いや、このためにこそ置いてこなかったのだ、と思いながら。

「これ、麦くんにおそなえしていただけますか？　私、どこに持っていっていいかわからずに、なんとなく持ってきてしまったんです。」

笑顔はなかったけれど、その人は言った。

「ありがとう、受け取ります。すぐお仏壇にお供えしますね。」

そして私の持ってきた花を受け取ってくれた。

「ほんとうは家に寄っていただきたいのですが、まだ、気持ちの整理がついてなくて、家の中もぐちゃぐちゃで。ありがとうね。」

少しだけ笑顔を見せて、麦くんのお母さんは言った。

きっと高台にあるマンションの一室の中の和室にお仏壇《ぶつだん》があるのだ、と私は思った。

「とんでもないです、ここでお花を渡すことができただけで、奇跡です。ありがたいことです。」

夢の中では大胆にも家にあがりこみ、古い衣服や写真をよこせと泣いていたくせに、現実の私は子どもみたいにあたふたしたままそう言い、頭をさげて、麦くんだけではなく、彼のお母さんとも多分永遠に別れた。

振り返って見ると、今度は麦くんのお母さんが、花にもたれるように歩いていくのが見えた。

ほんとに？　今のできごとはほんとうにあったことなの？

私は、漁港の魚屋さんでタコの足とかさざえを買いながら、ぽかんとしてしまった。今のはほんとうにあったことなんだろうか？　まぶしい光の中で見た夢なんではないだろうか。私は花をいつのまにかどこにやってしまったんだろう。

でも、これでよかったのだということだけはわかった。やったことがみんな合っていたことも、わかった。状況が示唆《しさ》しているものを、いつのまにかつかみそこなうことはなかった。

麦くんの愛した町の港に、たくさんの小さな船が停まっていた。魚屋のおじさんはひたすらに無愛想に魚をすすめながら売りさばき、今日一日が気だるく動き続けていた。全部がここにあるんだ、なにもしなくても、そう思った。

「どんぐり姉妹の妹さんへ

ぐりちゃん、私は今、韓国です。知ってるか。

今度の彼は、いくらいっしょにいても、いやにならない、不思議な人です。

それから、部屋は分けたままで、今のところ、おやすみのキスを一回しただけです。

ゲイなのか？　と真剣に思ったけれど、昼間いっしょにいるときのさりげないけれど確実に私の足や胸を見ているその視線で、ゲイではないということがわかってはいます。

空港についてすぐ、彼は前の日徹夜だったのに、私は韓国初めてだから連れて行ってあげようと言って、チェックインしたその足でプロカンジャンケジャンに連れて行ってくれました。そこで、私たちはしょうゆ漬けのカニをいっぱい食べたの。まるで法事のお座敷みたいな、決してぴかぴかではないお店だったけれど、カニは最高においしかったです。それから自分がそこではいくらでもキムチを食べるので、自分でもびっくりしました。韓国のお店では、つけあわせの小さいお皿がいっぱい出てきて、どれもおいしい上に、もうそれだけでおなかがいっぱいになるくらいたくさんなのよ。

はじめていっしょに旅行するとか、どういう展開になるかなとか思っていたのに、なんだか家族みたいに和んで、いつも目の前にはにこにこした彼の四角い顔があって、私はもう完全にノックアウトされました。四角い顔に弱いのは、ファザコンでしょうかね。お父さんの顔は四角かったよね。

こういう人っていつでもまじめに結婚を考えているんだろうなあ、と思います。でも私は結婚なんかできない、だってどんぐり姉妹は今の私の使命だから。我ながらかっこいい。

いつか、彼は、私ではない、もっと考え方のかわいい人と結婚するのでしょう。それは悲しいことだけれど、しかたありません。

でも、なるべく長くおつきあいしたいなあ、と久しぶりに思いました。一分でも一秒でも長く、いっしょにいたいって。

私がさほど美人でもないのに彼氏が絶えないわけは、きっと、恋は期間限定だとわかっているからだと思います。そう思うと、一挙一動が愛おしいから、変にダイナミックな気分になって、私の中から変な色気が出てくるんだと思う。女の人はみんな、先があると思っておつきあいするから、男性の側の恋がもりあがらないんだと思うな。

これは白菜のキムチ、これは水キムチ、こっちは小松菜のナムルで、和《あ》えてあるのがイカのフェだよ、などと作り方まで身振り手振りを交えて真剣に教えてくれる彼を見ていて、こんな人は日本にはなかなかいないなあ、韓流のドラマがはやるわけがわかるなあ、と本気で納得していました。

彼は私のヨンさま、私のウォンビン。

そして私はチェ・ジウかな、見た目から言って（笑）。

かわいく手をつないで、冬の夜道を歩きました。

韓国の夜道は、まだ夜がちゃんと夜なのです。暗くて、冷たい空気の中に氷の粒がたくさん入っているみたい。人々は白い息をはき、楽しいときは楽しい、いやなときはいやだという顔をちゃんとしている気がする。いい人はいい顔、悪い人はずるい顔をちゃんとはっきりしています。

みんなが生きてるって感じの活気があって、エネルギーが立ち上るのが見えるみたい。雑踏は雑踏として、とにかくにぎやかで、日本みたいにただずるずる〜っと人が歩いているわけではないの。やっぱり旅行はいいね、内側からなにかがよみがえってくるよ。ぐりちゃんも連れてきたいな。

信じられないよ、私たちって、もう、いくらでもふたりで旅行できるんだね……。

あんたの言った通り、実はまだ体のどこかがふたりで出かけちゃだめだって縮こまってるんだなっていうのが、今はなんだかわかるよ。
まだまだいろいろ言いたいので、またメールします。
このホテルの部屋はしっかりとネット環境が整っているので、ほっとしてます。
今からあなたのメールでの助言に従いつつ、どんぐりの仕事をします。チェックお願いします。

どん子」

「どんさん　字数がとっくに規定の分量を超えてますよ

どんぐり姉妹妹より」

「どんぐり姉妹の妹さんへ

かたいこと言わないでよ。

だって私にはどんぐり姉妹がいないんだもん。

書くのは私のセラピーですから！

私は、そんなに数は多くないと思うけれど、とにかくひたすらに恋愛をしてきました。それから、おじいちゃんの家に行く前に、一回だけ、男の人と寝てお金をもらったことがあります。

お金をくれるというから寝たわけではなくて、酔っぱらってかなり年上の人と寝たら、お金をくれちゃったの。

これは、もしかして、もうかるんじゃ、と一瞬本気で思ったけれど、後味が悪かったのであまりむいていないと思って、その人の名刺を迷いながらもその場で捨てた。

でもあのことがあったから、思い切っておじいちゃんの家に直談判に行けたのだと思います。

今はもう、おじいちゃんは人を避けるために必要以上にこわいイメージを作っていただけだとわかるけれど、あの頃は、あんな変わったこわい人と、本気でいっしょに住むなんてありえないと思っていたもんね。

でも、死んだときにわかったのは、おじいちゃんは私たちと住む前から、あの家を私たちに譲るという遺言状を書いていたということだった。あれにはじんときたよね。

妹にほんもののサムゲタンの写真を撮って送りたい、今度は連れてきてあげたい、と言ったら、彼は今日のお昼、高麗参鶏湯《コリヨサムゲタン》に連れて行ってくれました。写真を添付します。町の食堂では五百円相当で食べることができると考えたらここはかなりお高いお店だと思いますが、このお店、ランチのビジネスマンやＯＬで満席でした。

そしてほんとうにおいしかった。澄んだスープ、たっぷりの朝鮮人参《にんじん》、信じられないくらい。

お昼からみんなでわいわいごはんを食べて、キムチもいっぱい食べて、これで元気が出ないはずがないよ。彼も『日本に住んでいてつらいのはみんながキムチをあまり食べないことだ。キムチのないごはんなんて、想像ができないくらいなのに』と言っていました。

ちなみに彼の家にはいつでもお母さんが作ったキムチがあるそうです。韓国にいると命がぐっと自分に近い気がする。日本にいるときは、命をガラスのケースに入れて持って歩いている感覚なんだけど、韓国では目の前に命があって、自分が生きている、私の中で命が燃えているというのをふつふつと感じる。私たちの小さかった頃の日本はそんな感じだったかもしれない。

今日もたくさん、たくさん散歩しました。手をつないで、冷たいアスファルトの道をただただ歩いた。

デパートも、ブランドの店も、ちっとも目に入らず、ただひたすらに歩いて、疲れたら、スターバックスにそっくりだけどスターバックスじゃないたくさんのお店のひとつに入って、コーヒーを買って、カップを手の平に包んで冷たくなった手をあたためました。

なんか別に問題なくおいしいし、自分のことに一生懸命だから、それがスタバかどうかなんてもうどうでもよくなっちゃうんだよ。不思議だね。日本だとちょっと気になるのにね。

最終的に私たちは徳寿宮《トクスグン》にたどりついて、入場料を払い、門兵にいっしょに写真を撮ってもらってから、広大な、様々な歴史に翻弄《ほんろう》された建物をゆっくりと見て回りました。

奥には大きく近代的な美術館があり、現代の写真家の展覧会をやっていました。その写真はすばらしすぎもせず、かといってクオリティが低いわけでもなく、つまりはデートで見るのに適した写真展で、さっきまで王宮の世界にいた私たちは美術館デートをする現代のカップルになりきって写真を見て回り、たわいない感想を告げ合い、外に出るとまた昔の風景に戻りました。

なんていうのかなあ、風が遠くをわたっていって、向こうにはビル街が見えているのに、そこだけはいにしえの世界が静かに広がっていて、たまに京都や奈良でもこういうふうになることがある、古い空気の中にすっぽりと入っているみたいなあの独特の気持ちがしました。

『ここはほんとうはもっともっと広かったらしい。』

ガイドブックを見ながら彼が言い、

『西洋風の建物があるのにもびっくりした。むりに建てられ、住まわさせられたのだろうか、王様は。』

と私が言いました。

ふたりでこの国に生まれ、学生だったら、どんな気分だっただろうね、と私は思いました。

私はこれまでそれほど変な人生を歩んでないけど、なんでこんなふうなんだろう、と少し悲しくなりましたが、その悲しさは甘い感じでした。

だれかに今、この世でいちばん夢中でいてもらえるっていう感じは、親がいたときの感じ。

ずっと続くといいんだけど、たいていい消えてしまう夢です。

今日の夜は、ついに名店チャムスッコルに連れて行ってもらいます。なにを食べてもおいしいんだって、彼も楽しみにしてるし、彼のおばあちゃんも招待しました。

おばあちゃんにお目にかかると思うとちょっとどきどきしちゃうけど、結婚するわけでなし、楽しんできます。骨がついて平べったいカルビを広げてじゅうじゅう焼いてはさみで切ってもらうのが楽しみです。

どん子」

ふだん仕事で抑えている分だけ、書かせればいくらでも字数を超えてメールを書くなあと思いながらも、私は姉といっしょに徳寿宮の庭を歩いている気持ちになっていた。いや、むしろ幽霊になって空から姉と彼氏が歩いているのを眺めているような気持ちだった。

風がソウルの空を渡っていく、まるで昔と同じように、王宮のなごりをとどめた空間の上に今日も歴史が重ねられていく。

遺跡が静かにしているのと同じくらいに、高層ビル街も静かに見えた。いっしょに歴史の海の中に沈んでいるみたいだった。時代の亡霊はいつも新しい都市に寄り添っている。たまにホログラムのように浮かんだり消えたり風に吹かれたりしている。

新しく日々をはじめたいとき、男の人はどうやって気持ちを切り替えるのかな、やっぱり服とかなにかを買うのか、激しくスポーツをする？　男同士で飲みに行く？

などいろいろ考えながら、私は姉の旅行中に、髪の毛を切りに行った。

近所のてきとうな美容院でもよかったが、ここはやはり、もっとやる気を見せるべきだろうと思い、かなり面倒くさく気持ちも重かったが、姉のライター仕事を通じて知り合ったヘアメイクの人が自宅でやっているサロンを予約した。そして、

「なんとなくおっとりしているけれど、行動的でもあるし、流行にもむちゃくちゃというわけではない、という感じにしてください。自分でセットしやすい感じで。」

と注文を言った。

姉の友達であるところのそのヘアメイクのかっこいい男の人は、困った顔で笑い

ながらも、私のぼさぼさの髪をなんとかきれいにカットし、栗色《くりいろ》に染めてくれた。

そのあいだに私は猛然と雑誌を読み、なんとなく今の服の感じやメイクの感じをつかみ、久々のヘアカットと他人に生で接することで気をはりすぎてへとへとになって彼のマンションを出て、新宿に出て伊勢丹に行った。でもリハビリはかなりすんだ。調整しながらこもっていると、出るときもわりと楽なのだと思う。人生二度目の深い内省の時期だったけれど、なにかしらこつをつかんだように思った。

そして何着か服を買った。セールの冬物と、春物を数点。靴とサンダルも。

それから一階と二階でいくつか化粧品の新しいのを買った。姉のところに送られてくるサンプルでかなり化粧品は充実しているのだが、まあ自分の好みを大事にする気持ちの問題だと思った。

そういえば韓国でも、かわいい化粧品がたくさんあると書いてあったから、おみやげに朝鮮人参のパックなど買ってきてもらうようにメールをしよう、と思いながら、地下で餃子《ギョウザ》を買い、いっぱいの紙袋を持って、新しい髪型で電車に乗った。とにかく神経がすり減ってへとへとでびくびくしている中にも充実感と達成感があった。この、達成感というのがかなり重要なのだ。

よしこれなら、どこにでも出ていける。また海を見よう。

あの日の逗子マリーナの青空がまぶたによみがえってきた。

あんなに空が青いなんて。心細くなるくらいに。

どんぐり姉妹に来たあのメールがきっかけになり、私のまわりにもやのように漂っていた真実を現実にしっかり呼び込んだ。そして私の中の何かが動き出し、ちゃんと弔いをすませるまで止まらなかった。やはりつながっている、情報はいつでも取り出せる。

だからどんぐり姉妹の活動には意味があるんだ。

だれにともなく私はうん、とうなずいた。

化粧品のカウンターで濃すぎるお化粧をしてもらった、新しい髪型のよく知らない姿の私が電車の窓に映ってうなずいていた。

なんとなくにんにく臭くて肌がつやつやした姉が帰ってきたのは、それから二日後のことだった。

「ああ、疲れた。セックスもしてないのに、なんだかへとへとになっちゃった。好きすぎて。」

姉はそう言って、韓国海苔《のり》やいろんな種類のパックやBBクリームがいっぱいに入っているであろう大きな荷物を玄関にどさっと置いて、倒れ込むように入ってきた。大きな音をたててうがいして、手足を洗って、パジャマに着替えて、ごくごくと缶ビールを飲みだした。

あ、また家の空気が動きはじめた、そう思った。

「ほんとうに？」

私は言った。

「ほんとうに？　一回も？」

「うん、キスはしたけど。なんか、プラトニックな旅だった。だいたい、君は仕事するんだろうって言って寝るときは部屋も別々だったし。もちろんもう時間の問題だと思う。するのは。でも、それもなんかつらい。するのは別れの始まりだ、なんで今は止まらないんだろう。」

姉は言った。

その変わった考え方は、ちっとも私にはわからなかった。

「なんで、そんな気持ちなの？　しても、じわじわとつきあっていって、信頼を深めて結婚したらいいんじゃないの？　私、お姉ちゃんが幸せになるなら、全然淋《さび》しくない、平気だよ。」

「わからないのよ。なんか、ものすごく必要以上に飽きちゃうのよ。いつだって飽きたくないのに。」

姉は言った。必要以上にセックスに重きをおいてるからじゃないの？　と言いたかったけれど、言ってもしかたないことはわかっていた。

「飽きたくないのに。」

姉は泣いていた。

私が成長過程で受けた傷のことは自分でわかるが、姉のことはさっぱりわからなかった。なんでその方向に偏《かたよ》ったのか。でも、きっと人それぞれにそういうくせみたいなものがあって、とことんまで行って自分で気づくよりほかないのだと思う。

「私は、恋をするのが好き。ちょっとした外見からいろんなことを想像したり、彼と自分の手前でふくらむあのなんでもつまった空間が好き。でもそれは現実じゃない。恋をするのが好きな人は、みんなそうだと思う。なにが起きるかわからないけど、相手を人間として見てるのではなくって、こんな人といると自分はどうなるんだろう？　って思ったり、その人から喚起されるイメージの洪水を浴びてみたいだけなのかも。」

姉は言った。

「多かれ少なかれみんなそうだと思うけれど、はじめは。」

私は言った。

「そう、はじめが好きなの。」

姉は言った。

「眠いし、眠りたいんだけど、涙が止まらない。なんか読み聞かせしてくれない？」

「どうしたの、なにも問題ないじゃない、うまくいってるならいいじゃない。」

私は言った。

その言い方は、自分でも驚くほど、亡《な》き母の口調に似ていた。

崩れていく城を支えているような気がした。

「うまくいくのがこわいのよ。」

姉も子どもの頃の顔をして言った。子どもの頃、よくこの顔を見たなあ、遠くを見るような目をして、ぽかんとしている顔。長女の顔だなあ、と私はずっと勝手に思っていた。私は姉を見上げればいいけれど、姉は親を見上げても答えがない場合がいっぱいある。彼らは子どもじゃないから、わかりあえない。

自分だけで考えなくちゃ、でも今は考えられないの、そういう感じの顔だった。

私は本棚から姉の好きな絵本を手にとって声を出して読みはじめた。

「くまのがっこうの　くまのこたちは　1、2、3、4……ぜんぶで12ひき。きょうも　なかよく　くらしています。」

「いちばん　さいごの　12ばんめ　たったひとりの　おんなのこが　ジャッキーです。」

「ジャッキーは　ほっきょくで　デイビッドと　スケートするところを　そうぞうしました。そして　これが　ほんとうだったら　どんなに　いいのにと　おもいました。でも　ジャッキーが　ゆめから　さめると　デイビッドは　ひとりで　ほっきょくに　かえる　したくを　していたのです。ジャッキーは　デイビッドに　さよならを　いいました。」

「デイビッドが　いなくなると　ジャッキーは　とっても　かなしい　きもちになりました。」

「おにいちゃんくまのこたちは　いっしょうけんめい　なぐさめましたが　ジャッ

キーは　なかなか　げんきに　なりません。こまった　こまった。」

「と　そのとき　うみのほうが　あかるくなりました。なんだろうと　みんなで
そとに　でてみると　まっかっかな　まっかっかな　そら　でした。」

姉は目を閉じたままほんとうにすうすう寝てしまった。

私はほっとして、しばらくそのまま絵本をひとりで声を出さずに読み続けていた。こんな世界で暮らせたらいいのに、そう思うから大人は絵本を描き続けるのだろう。きょうだいでずっと浮き世を離れて暮らしていることには変わりないが、私たちにはくまのこたちと違う生々しい現実があった。

いつかこのくまたちも、それぞれが結婚したり独立したり大人になったりするんだろうか。私たちには、とにかく子ども時代が足りなすぎた。子ども時代をしっかり味わっていないと大人になる喜びは訪れないように思うが、私たちはきっとあちこちでがむしゃらに取り戻したのだろう。落ち着き先になってくれたおじいちゃん

を失って、私たちはやっとそろそろ大人になる時期を迎えているように思えてならなかった。

麦くんが死んだということが、いろいろな暗示として私に訪れ私を動かしたのと同じように、私に来たあのやすみさんのメールにほんの少しなぐさめを与えられたことで、どこか遠くで麦くんの奥さんもほんの少し救われたのかもしれない。見えないけれど、そういう細く確かな流れがあった気がした。

そしてもしかしたら、今度こそ、この流れは姉に伝わり、姉ははじめてセックスに偏りすぎない、普通の愛と思いやりを男性との関係に見いだす第一歩を踏み出すことができるのではないだろうか。

そうだといい、と私は思った。

私はなんだかほっとして、涙が出てきた。

いつまでお姉ちゃんと暮らせるのかな、いつまでどんぐり姉妹でいられるのかな。わけもわからず暗い穴ぐらにいた自分を愛《いと》おしく懐《なつ》かしく思った。そこは暗く温かく柔らかく、しかし想像上のありとあらゆる不安や恐怖に満ちていた。夢の中にまた夢があり、目が覚めると新しくまた気だるい夢が始まった。

それが親が死んでからなのか、おじさんが死んでからのことなのか、あるいはおじいちゃんが？　麦くんが？　それがどの地点なのかは、わからなかった。イメージの中でみんな入れ子になって混じり合っていたし、今もその渦中なのかもしれなかった。何回も出た気がしてはまだその中にいるのかもしれないし。

いつも気がついたらもう外に出てしまっていて、後ろを振り返ったらもうドアが閉まっていたような気がしていたから、心の一部がまだ中に残っていてもおかしくないでしょ、そう思った。

「私思ったんだけど。」

まだ涙のあとが残ったほほで、ぱっちりと目をあけて姉が言った。

「びっくりした、寝てるかと思った。」

私は言った。

「起きてたよ。」

姉は言った。

「ちゃんと聞いてたよ。くまのジャッキーの気持ちになって、真っ赤な夕陽を見てた。」

「もう寝なよ、旅行で疲れてるんだから。」

私は言った。

「私も旅行行きたいな。広い空が見たくなった、お姉ちゃんのメール読んだら。」

「……とうきいち。」

姉は突然そう言った。

見ると、天井をじっと見ている。

「なに？　どうした？」

私は言った。

「来週、陶器市行こう。沖縄。」

姉は言った。

「なに、急に。旅から帰ったばかりじゃない。」

私は言った。

「行きたいの。機内誌にその記事が載ってたから。だって、年に一度の陶器市の今、やちむんの里に行けば、大嶺實清《おおみねじっせい》さんも山田真萬《しんまん》さんも、かなりの割引だよ！　行こうよ。おじいちゃんの供養《くよう》にもなるしさ。」

おじいちゃんはそんな性格だったから旅行なんてもちろん大嫌いだったが、沖縄の焼き物が好きで、こつこつと集めていた。この家の玄関には大嶺實清作の大きなシーサーが対でどどーんと飾ってある。どういう縁かおじいちゃんと知り合った大嶺さんが、昔おじいちゃんにプレゼントしてくれたというものだった。動かしたらたいへん不吉なことが起きるような感じがして、私たちはそのまま大事にしている。

他にも、そんなに高いものではなかったが、おじいちゃんが生前日常使いにしていた沖縄の器がたくさん遺《のこ》されており、私たちはずっとそのまま使っていた。

「そんなぜいたくするお金ある？」

「そのくらいは、いいじゃない。私貯金もしてあるし。今回、彼がほとんどおごってくれて、お金が少し浮いたの。それで行こうよ。」

姉は言った。

もうすっかり笑顔になって、天井を見たまま、沖縄の夢を見始めている。

「げんきんだなあ。でも、私も行く、それなら。」

私は言った。

「そうだよ、せっかく髪の毛も切ったし、出かけなくちゃ。」

姉は言った。

「なんか、韓国にいても、あんたにもこの景色見せてあげたいなあっていつも思ってた。おかしいね、おじいちゃんがいたころは、旅に出てもそんなふうには思わなかったのにね。」

「交代でしっかり行ってたからじゃない？　それに家にひとりでいるわけでもなかったしね。あの頃は、必死だったんだよ。」

私は言った。

「ねえ、もし仮面ライダーWだったら、あんたがフィリップだよね、検索オタクで。」

唐突に話題を変えて、姉は言った。

「……まあ、翔太郎ではないと思うけどさあ。」

私は言った。

しばらく黙ってから姉は言った。

「ごめんね、あんた、松平くんのお父さんを検索するくらい、とっくに思いついていたよね。しないのがロマンだったんだよね。私、そのことに旅先で気づいたの。」

検索をきっかけにして、この話題を思い出したのだろう。

「……うん。」

私は言った。

「いいよ、おかげでいろいろなことに気づいたし。」

麦くんが死んだことを、まだ姉には伝えていなかった。

それこそが私のロマンだった。もう少ししたら言おう、そう思っていた。麦くんの死を知るまでの小さなドラマを。

麦くんのお母さんにほんとうに会ったことは、まだぼんやりと夢と混じり合っていた。

あの青空、悲しそうな中年婦人のうつろな表情、そしてガーベラの赤い色。あの日あの場所だけが次元を超えてにゅっと夢から現実に出てきたみたいだった。

あのお花は、まだ、現実のこの世界の麦くんのお仏壇の前で咲いているのだろうか。

「俺たちはふたりでひとり。」

姉は笑った。

「もしも叶《かのう》姉妹か大森兄弟からクレームが来たら、仮面どんぐりダブルと名乗ろう。」

「次は石森プロからクレームが来ると思うよ。」

ついていてあげるのがばかばかしくなって、私は絵本をしまって立ち上がった。

一歩一歩、進んでいるな、まるで、一カ所でぐるぐる回っているみたいに見えるけど、四季はめぐり、状況は変わり、私たちは少しずつ大人になっていっている、と思った。

小さな部屋の大きなベッドに「くまのがっこう」のくまみたいにいっしょにすや

すや寝ているふたりの姿を、胸の中の奥の奥のどこかに子どもの頃の姿のまま大事に抱えながら。

そこではふたりは、パパとママをずうっと待っている。一生待っている。いつかふたりとも天国に行ってパパとママに会えるまで、ずうっと待っている。

姉は先に寝てしまって全然起きなかったので、私もつられて早寝をした。そして、麦くんの夢をまた見た。

どうしてそう思えたのだろう、夢を見ているあいだ、ずっと「もう夢の中でほんとうの麦くんに会うことはない」とどこかでわかっていた。だから私は夢の中でじっと麦くんを見つめていた。

もう会えないのか、いや、どうせ会っていなかったではないか、いろいろ思った。夢の中の私はなぜか麦くんといっしょに暮らしていることになっていた。見知らぬ小さい部屋で、窓からはやはり海が見えた。今度は海の脇《わき》の舗装されていない小道に面した二階の部屋で、窓の外には海がばっちりと見える。私たちはほんとうに平凡な内装のなんということのないアパートに住んでいた。逗子マリーナではなさそうだった。パラレルワールドの私たちの愛の巣なのだろうか。夢というものは自由すぎて、時々わけがわからない。

「やっぱりいっしょになることはできないみたい。」

麦くんは言った。

「どうして？　こうやっていっしょにいるのに？」

私は言った。

「行かなきゃ。」

麦くんは言った。

大人になった麦くんを見るのは、夢の中の結婚式の写真以外初めてだった。子どもの頃よりもすらりとして筋肉質で、昔のちょっとむだな肉のある幼い体の麦くんのほうが素直な感じがして好きだったな、と私は思った。あの頃の麦くんだけが、「私の」麦くんだった。夢の中の大人の麦くんは、黒く焼けていて、短パンをはいていた。

「あっちに帰らなきゃいけないんだ、そう遠くないうちに。」

麦くんは言った。

「声は変わらないね。」

私は彼に抱きついた。絶望だった。今はこんなに確かにここにいても、先はない。

姉の気持ちがほんの少しわかる気がした。

そうか、ずっといっしょにいられない人といるのは中毒みたいなものなんだ。

魔法がとけないまま別れるのはなんて甘美なものだろう。好きじゃないわけじゃない、ただ、一番好きでいられる方法がこれなんだ。

ずっと見ていただけでちゃんと触れたことのない彼の胸板は、とても厚くしっかりしていた。こんな確かなものが失われてしまうなんて。

「いろいろ手配してくれてありがとう。」

彼は言った。

なんのことかわからなかった。夢の中の設定なのか、お花のことなのか。

ただ、彼が素直に笑顔でありがとうと言っているのを見るのが久しぶりで、うっとりとした。これを見るのが好きだった。そのあとにやってきた男性とのリアルなおつきあいやセックスよりもずっと好きだったかもしれない。

気づくとなぜか、場面が変わっていた。そこは見知らぬ建物の中の、中庭だった。噴水も銅像もなく、一本の背が低い木が植わっていた。麦くんの隣には彼の当時の親友がいた。色黒で、背が高くて、がっちりしていた男の子、名前は忘れたけど、いつもふたりは笑ってじゃれあっていて、見ているだけで幸せなふたりだった。

「ほんとうにありがとう。助かった。」

そう言って、なぜか麦くんじゃないほうの男の子が私をハグしてくれた。なんだかそれも嬉《うれ》しかった。なにか大事なことの仲間にいれてもらえたようで。

「案外しっかりした体になってるね、昔はガリガリだったのに。」

彼は笑った。頭に包帯を巻いているから、病院に行ったのかな、と私は思った。そうか、この世界では私はこの人のために、病院を手配してあげたのかな。それともこの人も、現実の中では、どこかの段階で死んじゃったっていうことなのかな。

調べたらわかるのかな、でも知りたくなかった。

「だって、もう三十だもん。」

私は言った。

「そうか、でも、とにかくありがとう。」

彼は優しい顔でそう言った。

そしてすたすたと歩いて、枯れたツタが壁にからまっている中庭から、建物の中に入って行った。私と麦くんだけが後に残された。

麦くんは言った。

「ほんと、あいつのためにありがとうね。」

そしてポケットをごそごさぐって、紅茶のキャンディをひとつくれた。

「なにこれ。」

「紅茶が好きなんでしょ。」

彼は言った。

中学のとき、紅茶が好きでよくポットに入れて学校に持っていって、休み時間に飲んでいたということを思い出した。そうか、彼と私が夢で会うときは、彼の中の私は中学生までの情報しかないんだな。もしかして私が死んだかと思っていたかもしれないな。腎臓《じんぞう》もこわしていたし、ひょろひょろしていたし。

でも、私は元気に生きていて、死んだのは君のほうなんだ。なんてことだろうね。

「ありがとう。」

涙が止まらないまま、私はそれを受け取った。

天国からのキャンディだった。

そしてそれを口に入れて、甘みを確かめた。

確かに甘い、今、確かに甘い。そう思えた。

「いいよ。」

私は言った。

その気持ちは、どこから来たのだろう。私の奥底からわいてきた。優しさでもなく、甘さでもなく、なぐさめでもなかった。私は本気だった。それしかないと思ったのだ。たったひとつしか言えることはなく、実際にそうしようと夢の中で決心して口に出した。

「先がなくてもいいよ。一分でも一秒でも、いっしょにいられるだけいっしょにいよう。しっかりと暮らそう。もしそれが積み重なって一日でも二日でも多くいっしょにいられれば、それでいい。」

絶望の中の希望が小さくうまれていた。

うん、と彼はうなずいた。泣きそうな顔をしていたが、少しだけ前歯がのぞいた。笑ってくれた、と私は思った。少し無理して笑おうとしている顔は、お母さんそっくりだった。

言えてよかった、と私は思った。これが言えたことで、彼の死を実際に知ったときにかかった、小さな悪い魔法がとけた気がした。自分はあの頃、逃げたんじゃないか、できることがあったんじゃないかというかすかな痛み。それは目をそらしてしまうと、自分の人生を蝕《むしば》むウィルスになりうる考えだ。それを払拭《ふっしょく》できてよかった。麦くんのたたずまいが私に強さを与えた。あの頃の自分を救ってくれたことへの感謝が、私をしっかりと立たせた。

「ありがとう。」

麦くんは言った。

「ねえ、昔うちの近所にあった、58とか、56とか、そういう名前の店、まだあるかなあ。」

「どうだろう？　私ももうあのへんに住んでないから、わからないの。」

私は言った。

なんとなくおぼえがある、そこはホットドッグの店だったか、アイスだったか、中学生が帰りに立ち寄って買い食いをするようなお店だった。

「そうか、おまえのほうがまだあのへんに行ってると思って。」

麦くんは言った。

私はそのへんに落ちている、なにかのきらきらした破片を片付けながら、麦くんの言葉を聞いていた。

「そうなの、でも、おばさんのおうちを出ちゃってから、あのへんに行かないから。」

ふりむくと、もう麦くんはいなかった。

きっと親友の行った方向に行ったのだろう、と思った。

がらんとした中庭に、まだまだ破片は落ちていた。きっと事故のときの破片だろうとぼんやり思った。光が射《さ》してくると、その金属やプラスチックがきらきら光った。淋《さび》しかった。ああ、行っちゃった、そう思った。悔いなくふるまったのに、とりかえしがつかないことをしたみたいな気分だった。

そして私は、もうなにも調べなかった。

麦くんの中学校時代の親友がもうこの世にいないのかどうかも、中庭のある病院にいたのかどうかも。

こんどこそはそのままにしておいても、変わらないと思った。

もう私は充分やった。これ以上はやらなくていい、そう感じていた。

あの中庭で、確かに彼に会ったのだから、伝えたのだから、もういいのだ。

夢の中の私がしっかりふるまってくれたから、私も救われたのだ。

現実の私が、なにもはずさなかったから、夢の中の私は手探りでもちゃんとしていたのだ。夢の中ではうそはつけないから、全部が出てしまう。だから、ちゃんとこもるべきときに家にこもっていて、動くべきときに動いてよかったのだ。そう思った。

私は、ほんとうに姉と沖縄に行った。

姉がさくさくとチケットをとり、私たちは那覇空港に降り立った。色とりどりのおみやげものや団体旅行の大騒ぎを尻目《しりめ》に空港を抜け出すと、さすがに真夏とはいかないが、強い日差しや暖かい空気が待っていた。

午後早くにはもうホテルにチェックインしてすぐにレンタカーを借り、姉の運転で北へ向かった。

TVでしか知らなかった読谷村《よみたんそん》のやちむんの里は陶器市でものすごくにぎわっていた。

あちこちから来た人たちが、一生懸命器を選んでいた。

そこにあるのは家の中をただ豊かにするものばかりだから、みんなの顔もおだやかだった。

やちむんの里の中にある道に立っていたら、今がいつかほんとうにわからなくなった。

芋虫みたいに丘をはっているのぼり窯《がま》が昔のままの姿だからなのか、焼き物の神様がほんとうにそのへんにいて見守っているからなのか。そこには陶器を創《つく》ることだけを中心に生きているシンプルな暮らしをしている人たちしかいないからなのか。

昔から同じことをくりかえしている、切ない人間たちの営みの気配だけが漂っている、遺跡の中に立っているような不思議な感じがしたのだ。

おじいちゃんが、ここの焼き物を愛した気持ちがわかる気がした。

私の心の中にはいつも死んだ身内の部屋、両親とおじさんとおじいちゃんのための部屋があって、面影をいっしょに連れて歩いている。おじいちゃん、ここがおじいちゃんの大好きな器ができていく窯だよ、あの人たちが作っているんだよ、この場所をはじめて見たでしょ、そんなふうに思いながら歩いていた。

「なんで彼氏は連れてこなかったの？」

結局はいちゃつくふたりに同行する覚悟をしていた私は、不思議に思って姉に聞いた。

「この時期ちょうど出張だっていうんだもの。でもいいの。おみやげを買って行くから。大嶺さんの土瓶《どびん》と、真萬さんのカラカラと。きっと喜ぶわ。」

姉はほほを染めた。

「うちのお皿もちょっと新しくなるね。」

私は言った。ふたりは両手に皿や茶碗《ちゃわん》や土瓶のたっぷり入った紙袋を持っていた。

「今夜はどこへ行く？『うりずん』で魚のマース煮か。『カラカラとちぶぐゎ〜』でいか墨のにぎりか。あるいははしごか。」

姉は言った。

「私、エビの炒《いた》めたの食べたい。石垣島のラー油でエビを炒めたやつ。」

私は言った。

「じゃあ、カラカラだね。明日はもちろん『こぺんぎん食堂』行っておそば食べて、我が家の台所にラー油を補充してから、ダッシュで空港ね。」

「うん、ラー油買わなくちゃ。ひとり一個しか買えないけどまあ二個も買ったら、しばらくは幸せだよね。とびきりぜいたくにラー油かけごはんもできるね。」

私は言った。

「でも、今夜はホテルで仕事だよ。」

「戦利品を並べて、パッキングしながらね。きっと楽しい。」

「飲み過ぎないで帰ろうね。」

「でも旅先だから、多少は飲み過ぎるのがお約束だよ。」

そんなつぶやきをみんなののぼり窯がじいっとうずくまって聞いている気がした。火が入ってない時期の静かなのぼり窯は、火入れを待っているのか、それともただ時間の流れを見ているのか。

風の音、火の音、窯に入る人たちの汗や笑い声やつぶやきを、みんな土が吸い込んでいる。ここでも膨大な蓄積が私を取り巻いている。

「あ〜あ、こんな暮らしが一生したいな。」

姉は言った。

「いっそ私がレズで、あんたとも寝ていて、むちゃくちゃでドラッグや酒におぼれて、生き急いでいるといいんだけれど……」

「いいのかなあ、それ。」

私は言った。

「いいんだって、それはそれで。でも、そうでないから、なんだか中途半端《はんぱ》ね。だって私たち幸せな夫婦の愛された子供たちだったんだもん。」

マルタン・マルジェラのふさふさしたロングコートに包まれて、濃い化粧の真っ白い横顔を可憐《かれん》に見せながら姉はふふんと笑った。

私に得意げにしたってしょうがないだろうに、と思いながら、沖縄の冷たく甘い風に吹かれて、私もそう思った。

その冷たさと甘さが混じった感じは、ちょうどアイスクリームが溶けていくときみたいな感じだった。夏の風の匂《にお》いと冬のきらきらした冷たさがランダムにほほをなでていく。

「そんなことを言ってるってことは、もしかして、今度の彼氏は長くなりそうな予感がしてるってことなんじゃないの。」

私は言った。

「違うよ。」

姉は言った。

「こんな生き方をわかってくれる男の人はいない、いるはずがない。私はもうそんな甘い夢は見てない。それでも私は生き方のほうをゆずれない。だからいつまでもはいっしょにいられないと思う。ただ、ぐりちゃんは大丈夫だと思う。だれかを素直に好きになって、裏表ない気持ちをぶつけていけると思う。だから、ぐりちゃんに結婚して赤ちゃんを産んでほしい。でもそうしたら私淋しいかなって思って。赤ちゃんを抱っこさせてね、絶対ね。」

「なに言ってんの。気が早いよ。今は、今なんだよ。今にいなよ。」

私は言った。

車に向かいながら。

「こんな緑が多くて、静かなところにいると、なんだか全部が夢だったみたいな気がするね。」

姉が笑顔で言った。

「全部ってなに？　恋のこと？」

私は言った。

「ううん。」

姉はまつげを伏せて首をふった。

「みんな。恋も、どんぐり姉妹も、茶摘みをしたことも、おじいちゃんと住んだことも、あのお部屋のことも。この旅だって。」

「そうだね。」

私は言った。

姉は顔をあげて、空を見て、大きく息を吸い込んだ。

「どうする？　みんな夢だったら。ほんとうは私たち、お父さんとお母さんといっしょに事故にあってみんな死んじゃってて、まだ生きてる夢を見てるんだとしたら。

この空も今日買った焼き物もなにもかも夢だったとしたら。」

「このあいだ読んだ小説みたい。」

私は笑った。

「でもね、それでもいいよ、私。だって、今楽しいもの。」

ほんとうにそう思えた。

楽しいから生きていようとはもともと思っていない。

ただ体が、本能が生きていようというから、ひたすらに生きているだけだった。

それでも、こんなふうに美しい夕方にのんびりとあたたかい空気に包まれているとき、快を感じる。寄せてはかえす波のように快と不快がやってきては去っていく。家にいたい時期の次は、外に出たい時が必ず来る。そのくりかえしは波と同じで、いつまで眺めていてもそのさなかに泳いでいても、全く飽きることはない。それが生きていることの唯一《ゆいいつ》の喜びだ。

「私もそうだな。」

姉は言った。

「夢ってわかっていても、私は、今日泡盛を飲んで、おいしいごはんを食べようと思うな。」

一分でも一秒でも多く。それが一年でも二年でもとにかく一歩一歩。

車に器をそうっと、寝てしまった赤ちゃんを置くみたいに積み込みながら、まわりに毛布やクッションを置きながら、姉はにこにこして言った。

「いつのまにか、いいところに来てたねえ、私たち。これからもいいところへ行きたいねえ。」

それは抽象的に？　それとも今ここの場所のこと？

と聞こうと思ったけれど、やめておいた。

やめておくことがロマンであり、貯金であり、なによりも粋《いき》だった。それは私が大事にしているもの、私の命のための栄養だった。

姉がエンジンをかけ、私たちはあっという間にやちむんの里を後にした。

丘が、古い石垣が、不思議な色合いののぼり窯が、どんどん遠くなっていく。さよなら、古代の世界よ。いざ現代の那覇へ。姉がiPodからすてきな七十年代の音楽を選び、かっこよくサングラスをかけた。私たちは粋な気持ちで、なんにもない、家と畑ばっかりの静かな田舎道を抜けていった。

今はほんとうに旅をしているけれど、たとえ旅をしていないときも、旅をしているような暮らしだなと思った。どこへ行くのかはわからない。この、夢と現《うつつ》がまじりあって、たまに接触したり離れたりする大きな広い海の中を。

どんぐり姉妹は今日もゆく、と私は心の中でつぶやいた。

文庫版あとがき

この小説を好きか嫌いかというと欠点も見えて手放しで好きとは言えないのだが、この小説が自分の歴史の中で重要ななにかであったことは間違いがない。

私は東京都文京区の出身で、小中学校を千駄木《せんだぎ》の公立の学校に通った。この小説の中の麦くんにモデルはいないけれど、名字だけは借りた。小学校と中学校がいっしょだった松平くんが亡《な》くなったと聞いたからだ。すごくいい人で、卒業してからもよく道で会って立ち話をした。そしてその頃ちょうど、仲良しだった女の同級生の訃報《ふほう》も聞いた。

そんなことのあれこれが私にあの頃の雰囲気を記録したいと思わせ、この小説を書こうと思うに至った。松平くんが亡くなったのがショックだったのか、初恋の人が死んだという知らせが入る短い夢をその頃たまたま何回も見たというのも理由のひとつだった。

この小説を書いている真っ最中、しかも夢の中で麦くんに会うシーンを書いていたとき、そんなに未来が短いってあの頃彼らは思っていなかっただろうなあ、初恋の人は死んでないといいなあ、と祈りながら歩いていたら、世田谷区の私の家の前の坂の下で、小中学校の同級生の女子（もう女子じゃないけど）三人にばったり会った。

「よしくん？　今のよしくんじゃない？」

と後ろから懐《なつ》かしい呼び名が聞こえて、振り返ったら全く変わらない三人がにこにこして立っていた。

彼女たちはたまたま午前中に下北沢に遊びに来て、今から帰ると言っていた。

あの驚きは忘れられない。小説が現実にすべりこんできた瞬間だった。

しかもそのうちひとりは私の初恋の人がちょっと好きだった女の子だった。

なんだこれ、このできごと、と思った。

初恋の人が死んでいない、元気で家族を作って暮らしている、それも後から人づてにわかった。本人と連絡も取れた。ほんとうに嬉《うれ》しかった。初恋を重要視しているとかもう一度会いたいとかではなくて、あの頃のなにも定まらない世界の空気が懐かしいと思っていた。だれもに未来がいっぱいにあった頃の生命力いっぱいの空気。

しかしいざ所在がわかると、彼が生きて元気でいるだけで幸せだと思った。彼も彼の妻もお子さんもみんな元気であれと心から願える。大人になるってそういうことだ。そして早くに亡くなった人たちのことを思うと、胸がいっぱいになる。確かにあのとき、みんなで同じ黒板を見上げていたのに。

また、この小説は私の父が最後に読んだ私の小説だ。

そのあと父はすっかり目が見えなくなり、もう読めなくなった。

「もう君は自分の世界を作っている。あとは好みの問題だけだ。そういう意味でこの小説は申し分ない。もう大丈夫だ。あとは自分で書いていってください。」

父はそう言った。

泣きたいほど嬉しく、そして悲しかった。

遺言みたいだったし、実際に、娘としてではなく作家としての私にとっての父の遺言だったんだと思う。


そんなこの小説を、読んでくださったみなさん、出版を手伝ってくださったみなさん、ありがとうございました。

これからもゆっくりと自分の世界を書いていきたいと思います。

よしもとばなな

2013年5月

この作品は平成二十二年十一月、新潮社より刊行された。

＊１２６～１２８ページの引用は左記からのものです。
「くまのがっこう　ジャッキーのじてんしゃりょこう」
（絵・あだち　なみ／文・あいはら　ひろゆき　ブロンズ新社）

どんぐり姉妹《しまい》

新潮文庫　よ－18－31

平成二十五年八月一日発行

著者　よしもとばなな
発行者　佐藤隆信
発行所　株式会社新潮社

郵便番号　一六二—八七一一
東京都新宿区矢来町七一
電話　編集部(〇三)三二六六—五四四〇
　　　読者係(〇三)三二六六—五一一一
http://www.shinchosha.co.jp

価格はカバーに表示してあります。

乱丁・落丁本は、ご面倒ですが小社読者係宛ご送付ください。送料小社負担にてお取替えいたします。

印刷・大日本印刷株式会社　製本・加藤製本株式会社

ISBN978-4-10-135942-7 C0193